CW00408375

Petits et grands
félins

Jaguar

Serval

Plaque
de Limoges
représentant un
lion couronné,
XIIᵉ siècle

Chat
européen
tigré

Tigres

Petits et grands
félins

Chatons abyssins

Carreau de faïence du XIXᵉ siècle. Le lion ailé est l'emblème de saint Marc l'évangéliste.

par

Juliet Clutton-Brock

Photographies originales de Philip Dowel,
Colin Keates ABIPP et Dave King

Abyssin

Ocelot

Maine coon

Panthère noire

Chat roux et blanc

Jeune puma

LES YEUX DE LA DÉCOUVERTE
GALLIMARD JEUNESSE

Chat roux

Chat noir et blanc

Lynx roux

COMMENT ACCÉDER
AU SITE INTERNET DU LIVRE

1 - SE CONNECTER

Tapez l'adresse du site dans votre navigateur puis laissez-vous guider jusqu'au livre qui vous intéresse :
http://www.decouvertes-gallimard-jeunesse.fr/9+

2 - CHOISIR UN MOT CLÉ DANS LE LIVRE
ET LE SAISIR SUR LE SITE

Vous ne pouvez utiliser que les mots clés du livre (inscrits dans les puces grises) pour faire une recherche.

3 - CLIQUER SUR LE LIEN CHOISI

Pour chaque mot clé du livre, une sélection de liens Internet vous est proposée par notre site.

4 - TÉLÉCHARGER DES IMAGES

Une galerie de photos est accessible sur notre site pour ce livre. Vous pouvez y télécharger des images libres de droits pour un usage personnel et non commercial.

IMPORTANT

· Demandez toujours la permission à un adulte avant de vous connecter au réseau Internet.
· Ne donnez jamais d'informations sur vous.
· Ne donnez jamais rendez-vous à quelqu'un que vous avez rencontré sur Internet.
· Si un site vous demande de vous inscrire avec votre nom et votre adresse e-mail, demandez d'abord la permission à un adulte.
· Ne répondez jamais aux messages d'un inconnu, parlez-en à un adulte.

NOTE AUX PARENTS : Gallimard Jeunesse vérifie et met à jour régulièrement les liens sélectionnés, leur contenu peut cependant changer. Gallimard Jeunesse ne peut être tenu pour responsable que du contenu de son propre site. Nous recommandons que les enfants utilisent Internet en présence d'un adulte, ne fréquentent pas les *chats* et utilisent un ordinateur équipé d'un filtre pour éviter les sites non recommandables.

Pendentif grec en or

Collection créée par Pierre Marchand et Peter Kindersley

ISBN 978-2-07-062286-3
La conception de cette collection est le fruit d'une collaboration entre les Éditions Gallimard et Dorling Kindersley
© Dorling Kindersley Limited, Londres, 1990
© Éditions Gallimard, Paris, 1990-2009, pour l'édition française
Loi n° 49-956 du 16 juillet 1949
sur les publications destinées à la jeunesse.
Pour les pages 64 à 71 : © Dorling Kindersley Ltd, Londres 2004
Édition française des pages 64 à 71 : © Éditions Gallimard, Paris 2005-2008
Traduction : Cécile Giroldi - Préparation : Isabelle Haffen
Édition : Emilie Paget et Eric Pierrat
Correction : Sylvette Tollard
Relecture-spécialiste : François Moutou
Dépôt légal : mars 2009 - N° d'édition : 162315
Imprimé en Chine par Toppan Printing Co., (Shenzen) Ltd.

Lion

Puma

SOMMAIRE

Panthère

PRÊCHI-PRÊCHA(T) !
Pour l'Église, les chats, longtemps honnis, ont représenté à la fois le Bien et le Mal. Sur cette illustration du xixᵉ siècle, bons et mauvais esprits se disputent l'âme d'une femme-chat.

CHAT, TIGRE OU LION : UNE HISTOIRE DE FÉLINS

Sauvage ou domestique, le chat appartient à la famille des Félidés. Robe brillante, unie, mouchetée ou tigrée (p. 14), tête élégante, oreilles pointues et grands yeux, il est un chef-d'œuvre du monde animal. Nos matous de gouttière ont bien des traits morphologiques et comportementaux communs avec leur puissant cousin le tigre de Sibérie. Quand ils se roulent dans l'herbe, ils prennent exactement les mêmes poses. Carnivores, les félins, ou Félidés, ont aussi toutes les caractéristiques des mammifères : squelette allégé et solide, qui protège et soutient, marche en position redressée (ils ne s'appuient que sur le bout de leurs doigts), fourrure, cœur à quatre cavités, glandes mammaires sécrétant du lait, sang chaud. Ils se sont engagés dans la voie de l'individualisme. À l'exception du lion (pp. 28-29) qui vit en famille, ils chassent seuls, s'attaquant à des proies variées, plus petites qu'eux s'ils ont le choix, parfois plus grosses. Le chat domestique, affectueux, intelligent et joueur, est bien sûr l'un des compagnons préférés de l'homme. Et l'ami des écrivains, des poètes et des artistes.

Félin

VIVONS CACHÉS
La fourrure rayée ou tachetée constitue un excellent camouflage adapté à toutes sortes de milieux, forêt, jungle ou savane.

FOI D'ANIMA
Les *Evangiles* du monastère d Lindisfarne, une île anglais datent de l'an 700 enviro Cette enluminure témoigne qu l'époque le chat domestiqu faisait déjà partie du paysag

Ce chat domestique a hérité rayures et taches de son ancêtre sauvage.

BIEN ADAPTÉ
Implanté dans le monde entier, de l'Afrique tropicale aux glaces du Groenland, le chat domestique peut aussi bien s'habituer à une grange qu'à un palais. C'est le seul félin, même si le guépard s'apprivoise, qui vit et se reproduit en tant qu'animal familier.

Au repos, le chat rentre les griffes.

moustaches des félins
t partie des organes
toucher. Elles
aident à se
ger dans
oscurité
17).

Tous les félins ont des
riffes rétractiles, sauf
guépard (pp. 42-43).

JAPONAIS
L'islam et le bouddhisme
ont réservé aux chats un
meilleur sort que le
christianisme.
La considération des
Japonais est manifeste dans
ce portrait composé
pour illustrer le caractère
changeant du
mystérieux animal.

Le lion mâle adulte
est le seul Félidé
à posséder un signe
sexuel distinctif :
sa crinière.

UNE AFFAIRE
DE FAMILLE
Le lion est le seul félin
à mener une vie sociale,
partageant son territoire avec
les autres membres d'une troupe. La
chasse collective lui permet de s'attaquer
à plus gros que lui, antilope ou zèbre. Il tue
sa proie en fondant sur elle après une approche
en tapinois et une courte poursuite (pp. 28-29).

SOLITAIRE
Rudyard Kipling a décrit la place du
chat dans le cœur de l'homme, et son
besoin de solitude, à travers une belle
histoire, Le chat qui s'en va tout seul.

LEURS ANCÊTRES AVAIENT LES DENTS LONGUES

Les Miacidés, ancêtres des félins, ont fait leur apparition à la période éocène, voici quelque 50 millions d'années. Leurs restes fossilisés ont été retrouvés. Mammifères carnivores plutôt petits et très endurants, ils ont ultérieurement donné naissance à deux familles, les Hoplophonéidés et les Dinictidés. La première, aujourd'hui éteinte, comportait de grands et de petits félins aux puissantes canines supérieures en forme de sabre, avec lesquelles ils devaient poignarder leurs proies ; l'espèce la plus connue était représentée par l'étrange *Smilodon* américain. La seconde est à l'origine de plusieurs familles dont les Félidés, grands et petits félins actuels, du lion au chat domestique. Ce sont les carnivores les plus récents dans la chaîne de l'évolution.

ENGLUÉS PAR CONVOITISE

A La Brea, devenue une partie de la ville de Los Angeles (Etats-Unis), une éruption naturelle de goudron s'est produite à la période glaciaire. Des milliers d'animaux, dont 2 000 *Smilodon*, ont été emprisonnés dans la substance noire et gluante. Ils étaient sans doute attirés par une proie lorsqu'ils se sont laissé prendre au piège.

Racine dentaire

Grosses incisives, probablement pour déchiqueter la viande

Enormes canines en sabre, peut-être pour «poignarder» les proies

«THYLACOSMILUS»

Ressemblant à un félin aux dents en sabre, il n'avait pourtant rien à voir avec les Félidés. C'était un marsupial (mammifère dont la gestation se termine dans la poche maternelle et non dans l'utérus) d'Amérique du Sud, au Pliocène, il y a 5 millions d'années.

Canine supérieure à croissance continue

Une excroissance de la mandibule formait une garde protectrice pour les canines.

Thylacosmilus vus par un artiste

UNE SCULPTURE MONUMENTALE

A Londres, des lions sculptés flanquent la colonne Nelson, commémorant la victoire anglaise de Trafalgar (1805). Depuis, ont été mis au jour des ossements de vrais lions datant de la période glaciaire, juste au-dessous de leurs arrière-cousins statufiés ! A Paris, place Denfert-Rochereau, sous le lion de Belfort, qui évoque la résistance aux Prussiens, il n'y a que le métro et les catacombes.

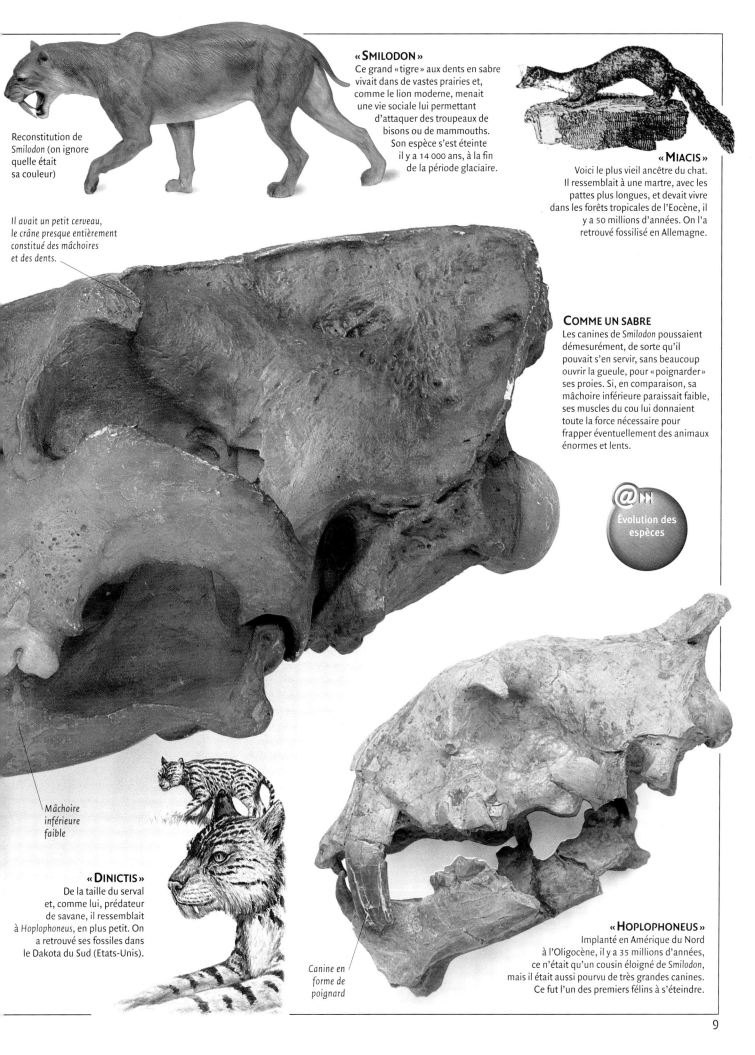

Reconstitution de
Smilodon (on ignore
quelle était
sa couleur)

« SMILODON »

Ce grand «tigre» aux dents en sabre
vivait dans de vastes prairies et,
comme le lion moderne, menait
une vie sociale lui permettant
d'attaquer des troupeaux de
bisons ou de mammouths.
Son espèce s'est éteinte
il y a 14 000 ans, à la fin
de la période glaciaire.

« MIACIS »

Voici le plus vieil ancêtre du chat.
Il ressemblait à une martre, avec les
pattes plus longues, et devait vivre
dans les forêts tropicales de l'Eocène, il
y a 50 millions d'années. On l'a
retrouvé fossilisé en Allemagne.

Il avait un petit cerveau,
le crâne presque entièrement
constitué des mâchoires
et des dents.

COMME UN SABRE

Les canines de *Smilodon* poussaient
démesurément, de sorte qu'il
pouvait s'en servir, sans beaucoup
ouvrir la gueule, pour «poignarder»
ses proies. Si, en comparaison, sa
mâchoire inférieure paraissait faible,
ses muscles du cou lui donnaient
toute la force nécessaire pour
frapper éventuellement des animaux
énormes et lents.

@ ▶▶
Évolution des
espèces

Mâchoire
inférieure
faible

« DINICTIS »

De la taille du serval
et, comme lui, prédateur
de savane, il ressemblait
à *Hoplophoneus*, en plus petit. On
a retrouvé ses fossiles dans
le Dakota du Sud (Etats-Unis).

Canine en
forme de
poignard

« HOPLOPHONEUS »

Implanté en Amérique du Nord
à l'Oligocène, il y a 35 millions d'années,
ce n'était qu'un cousin éloigné de *Smilodon*,
mais il était aussi pourvu de très grandes canines.
Ce fut l'un des premiers félins à s'éteindre.

LES FÉLIDÉS SE SONT DIVISÉS EN QUATRE CLANS

Le chat, qui tue pour se nourrir, appartient à l'ordre des carnivores, avec quelque 200 autres espèces de mammifères, ours, pandas, chiens, hyènes, ratons laveurs, belettes... Il en est le représentant par excellence, grâce à ses sens extraordinairement développés, sa rapidité de mouvements et ses dents acérées. Sa famille se divise en quatre branches qui ont essaimé sur tous les continents, sauf en Australie où elles ont été introduites par l'homme : les petits félins, soit 28 espèces variées, du chat domestique et du petit chat à pieds noirs au gros puma ; les grands félins, lion, tigre, jaguar, panthère et once ; les deux dernières branches sont chacune constituées d'une seule espèce, le guépard, pour l'une, et, pour l'autre, la panthère longibande, ou nébuleuse. Les petits félins diffèrent des grands non seulement par la taille mais aussi parce qu'ils ne rugissent pas. Le chat domestique est le descendant d'un *Felis silvestris* sauvage ; le chat sauvage vit encore dans certaines contrées d'Europe, en Asie occidentale et en Afrique.

L'ORIGINE DES ESPÈCES
Naturaliste suédois du XVIIIᵉ siècle, Carl von Linné a classifié les genres et espèces en botanique et en zoologie. Il a baptisé le chat domestique du nom latin de *Felis catus* et le lion de *Felis leo*.

LE PUMA
Appelé aussi cougouar, cet habitant d'Amérique du Nord et du Sud est le plus gros des petits félins : il ronronne et ne rugit pas. Les premiers colons européens l'ont pris pour un lion sans crinière.

LE LYNX ROUX
Il ressemble au lynx du Nord, moins les longues touffes aux oreilles. C'est le félin sauvage nord-américain le plus répandu, même s'il est difficile à apercevoir.

LE CHAT DOMESTIQUE
Il en existe de nombreuses races, presque autant que de chiens, descendant toutes d'un chat sauvage (qui n'est pas celui d'Europe).

PETITS FÉLINS

Ils comprennent toutes les espèces sauvages de petite taille ainsi que le chat domestique. Solitaires et chasseurs nocturnes, ils sont implantés dans le monde entier, mais, traqués pour leur fourrure tachetée, nombre d'entre eux sont menacés d'extinction.

GRANDS FÉLINS

Formidables chasseurs, ils ont besoin de grosses quantités de viande. C'est pourquoi ils ont, de tout temps, été moins nombreux que les petits félins, les grosses proies étant plus rares que les petites.

LE TIGRE

Chasseur nocturne s'attaquant à plus petit que lui, c'est le plus gros de toute la famille. Il vit en Asie et en Sibérie.

STAR D'HOLLYWOOD

Voici le rugissement le plus célèbre de l'histoire du cinéma : celui du lion de la Metro Goldwin Mayer.

DEUX EXCEPTIONS

La panthère longibande et le guépard se distinguent des autres Félidés. De bonne taille, la première ne agit pourtant pas comme les grands félins. Cependant, elle ne fait pas sa toilette et ne dort pas comme les petits félins. Le second, unique par sa rapidité à la course, ne grimpe pas comme ses congénères.

LA PANTHÈRE LONGIBANDE

De la taille d'une petite panthère, elle n'en est pourtant pas proche parente, même si, comme elle, elle grimpe aux arbres. De plus en plus rare, elle subsiste dans les forêts du Sud-Est asiatique.

LE GUÉPARD

A la différence de tous les autres félins, ses griffes ne sont pas rétractiles. Il détient le record absolu de vitesse – une adaptation pour survivre dans les savanes africaines où la concurrence avec les autres carnivores est sévère.

Ancêtres
des premiers félins

Chasseurs
sociaux

Chasseurs
solitaires

Félins
bondisseurs

Félins
coureurs

Autres
grands
félins

Lion   Panthère   Petits
       longibande   félins   Guépard

ARBRE GÉNÉALOGIQUE

Les liens de parenté entre Félidés et leur histoire de fossile ne sont pas encore élucidés. Ici, le guépard est classé à part et appelé félin «coureur» parce qu'il est le seul à poursuivre sa proie sur une longue distance. Mais, pour la tuer, il fond sur elle et la mord au cou comme les autres. Ses cousins sont dits «bondisseurs», car, après s'être approchés de leur proie en tapinois, ils bondissent soudainement dessus.

LE SECRET DE LEUR AGILITÉ : UNE BONNE CHARPENTE

Les 250 os du squelette constituent une charpente semi-rigide qui protège le corps tout en lui procurant souplesse et agilité. Le crâne des félins, petits ou grands, est conçu pour tuer et dévorer les proies le plus vite possible, avant que d'autres prédateurs aient le temps de s'en emparer. Les grandes orbites rondes permettent u vaste champ visuel, la partie auditive est développée et les mâchoires, courtes, s'ouvrent largement. Les félins mordent leur proie à l'aide de leurs canines acérées, puis la déchiquettent avec leurs dents carnassières, arrachant des morceaux de viande. Ils avalent sans mâcher et ne s'attaquent pas aux os. Ils ont donc moins de dents que les chiens, puisqu'ils n'ont pas d'aliments à broyer.

L'ONCE
Chasseur nocturne, ce félin montre ses redoutables dents au moment d'attaquer.

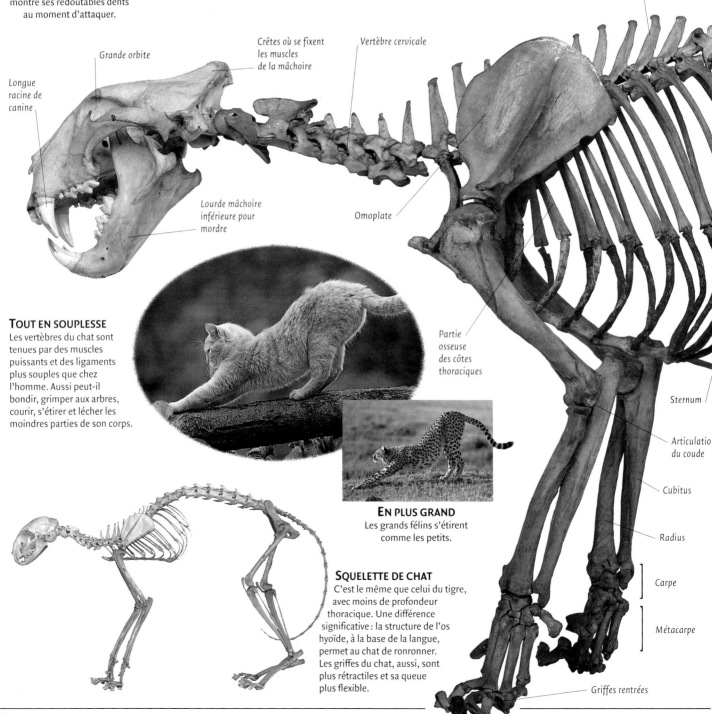

Longue racine de canine

Grande orbite

Crêtes où se fixent les muscles de la mâchoire

Vertèbre cervicale

Vertèbre dorsale

Lourde mâchoire inférieure pour mordre

Omoplate

Partie osseuse des côtes thoraciques

Sternum

Articulatio du coude

Cubitus

Radius

Carpe

Métacarpe

Griffes rentrées

TOUT EN SOUPLESSE
Les vertèbres du chat sont tenues par des muscles puissants et des ligaments plus souples que chez l'homme. Aussi peut-il bondir, grimper aux arbres, courir, s'étirer et lécher les moindres parties de son corps.

EN PLUS GRAND
Les grands félins s'étirent comme les petits.

SQUELETTE DE CHAT
C'est le même que celui du tigre, avec moins de profondeur thoracique. Une différence significative : la structure de l'os hyoïde, à la base de la langue, permet au chat de ronronner. Les griffes du chat, aussi, sont plus rétractiles et sa queue plus flexible.

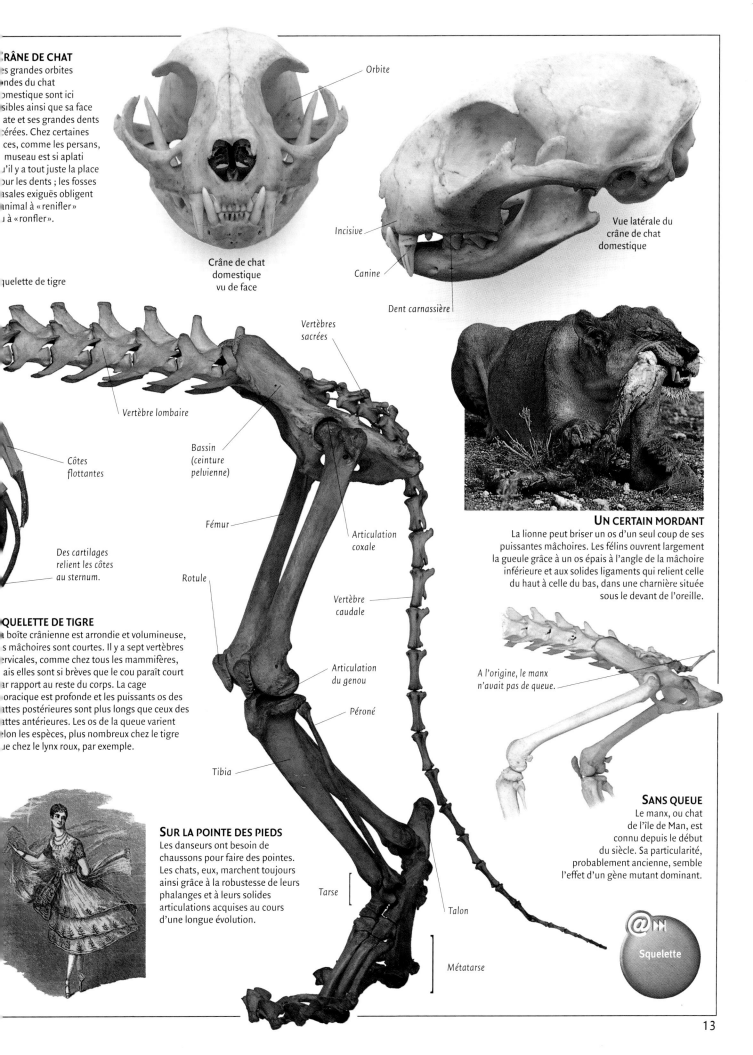

CRÂNE DE CHAT

Les grandes orbites rondes du chat domestique sont ici visibles ainsi que sa face plate et ses grandes dents acérées. Chez certaines races, comme les persans, le museau est si aplati qu'il y a tout juste la place pour les dents ; les fosses nasales exiguës obligent l'animal à «renifler» ou à «ronfler».

Squelette de tigre

Orbite

Incisive

Canine

Dent carnassière

Vue latérale du crâne de chat domestique

Crâne de chat domestique vu de face

Vertèbres sacrées

Vertèbre lombaire

Côtes flottantes

Bassin (ceinture pelvienne)

Fémur

Des cartilages relient les côtes au sternum.

Rotule

SQUELETTE DE TIGRE

La boîte crânienne est arrondie et volumineuse, les mâchoires sont courtes. Il y a sept vertèbres cervicales, comme chez tous les mammifères, mais elles sont si brèves que le cou paraît court par rapport au reste du corps. La cage thoracique est profonde et les puissants os des pattes postérieures sont plus longs que ceux des pattes antérieures. Les os de la queue varient selon les espèces, plus nombreux chez le tigre que chez le lynx roux, par exemple.

Articulation coxale

Vertèbre caudale

Articulation du genou

Péroné

Tibia

Tarse

Talon

Métatarse

SUR LA POINTE DES PIEDS

Les danseurs ont besoin de chaussons pour faire des pointes. Les chats, eux, marchent toujours ainsi grâce à la robustesse de leurs phalanges et à leurs solides articulations acquises au cours d'une longue évolution.

UN CERTAIN MORDANT

La lionne peut briser un os d'un seul coup de ses puissantes mâchoires. Les félins ouvrent largement la gueule grâce à un os épais à l'angle de la mâchoire inférieure et aux solides ligaments qui relient celle du haut à celle du bas, dans une charnière située sous le devant de l'oreille.

A l'origine, le manx n'avait pas de queue.

SANS QUEUE

Le manx, ou chat de l'île de Man, est connu depuis le début du siècle. Sa particularité, probablement ancienne, semble l'effet d'un gène mutant dominant.

Squelette

SIGNE PARTICULIER : UNE PARFAITE ADAPTATION

Tout, chez le félin, a évolué pour qu'il puisse se nourrir d'animaux vivants. Il doit penser vite, tuer vite et, pour supplanter les autres prédateurs, manger vite. Il est très agile et réagit à toute allure grâce à sa constitution à la fois fine et puissante. Très intelligent, il est doté d'un cerveau important par rapport à sa taille. Son appareil digestif est adapté à une alimentation carnée : son intestin est court et simple. Les grands fauves engloutissent leur proie dès qu'ils l'ont tuée et mettent plusieurs jours à la digérer. La langue rugueuse permet de décoller les morceaux de chair des os et de les avaler (pp. 20-21).

Les félins ont des glandes sudoripares sur tout le corps, mais, à cause de la fourrure, seules celles situées sur les coussinets des pattes et sur la truffe jouent un rôle dans la régulation thermique. L'excès de chaleur est évacué par évaporation de la salive sur la langue – halètement – et sur le pelage. Les mâles exhalent une puissante odeur qui incite pas mal de propriétaires à faire castrer leur chat.

GÉNÉTIQUE
Le pelage frisé de ce chat rex est dû à un gène mutant. Par des croisements, les éleveurs parviennent à reproduire et fixer les mutations spontanées, donnant naissance à de nouvelles races.

DE L'AMOUR DANS L'A
La grimace caractéristique de ce lion, t levée et lèvre supérieure retroussée, indic qu'il capte une odeur sexuelle. Peut-ê celle d'une lionne en rut. Ce sens particuli qui tient à la fois du goût et de l'odor a son siège dans l'organe de Jacobso situé à l'avant du palais (p. 1

Tête arrondie et museau court

Corps souple

MANTEAU DE FOURRURE
Multi-usage, il tient chaud, sert de camouflage, est imprégné de l'odeur de l'animal et constitue un organe du toucher, par la racine sensible de chaque poil (p. 16). Les félins sauvages ont deux fourrures superposées : l'une, la bourre, en doux duvet laineux, et l'autre, en gros longs poils de couverture, les jarres, qui forment le dessin des taches ou des rayures.

Moustaches

Longues pattes

CAMOUFLAGE
Son manteau tacheté rend la panthère invisible dans les prairies boisées inégalement éclairées où elle vit. Seuls ses yeux fauves sont immédiatement décelables. Elle fixe intensément les alentours, à l'affût du moindre mouvement indiquant une proie.

Tigre   Panthère   Panthère noire

VIVE LA FOURRURE !
Ainsi disposées côte à côte, les fourrures des félins révèlent toutes leurs différences. A les regarder, on comprend pourquoi, des siècles durant, les hommes en ont fait des manteaux. Mais on réalise aujourd'hui qu'il est cruel de tuer des animaux pour leur peau.

 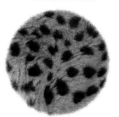

Jaguar   Ocelot   Serval

GRIFFES DE CHASSEUR

Elles sont constituées de kératine, une substance protéique qui se trouve également dans les cellules superficielles de l'épiderme et les ongles humains. Les pattes arrière en portent quatre et celles de devant cinq. Le cinquième doigt fait office de pouce.

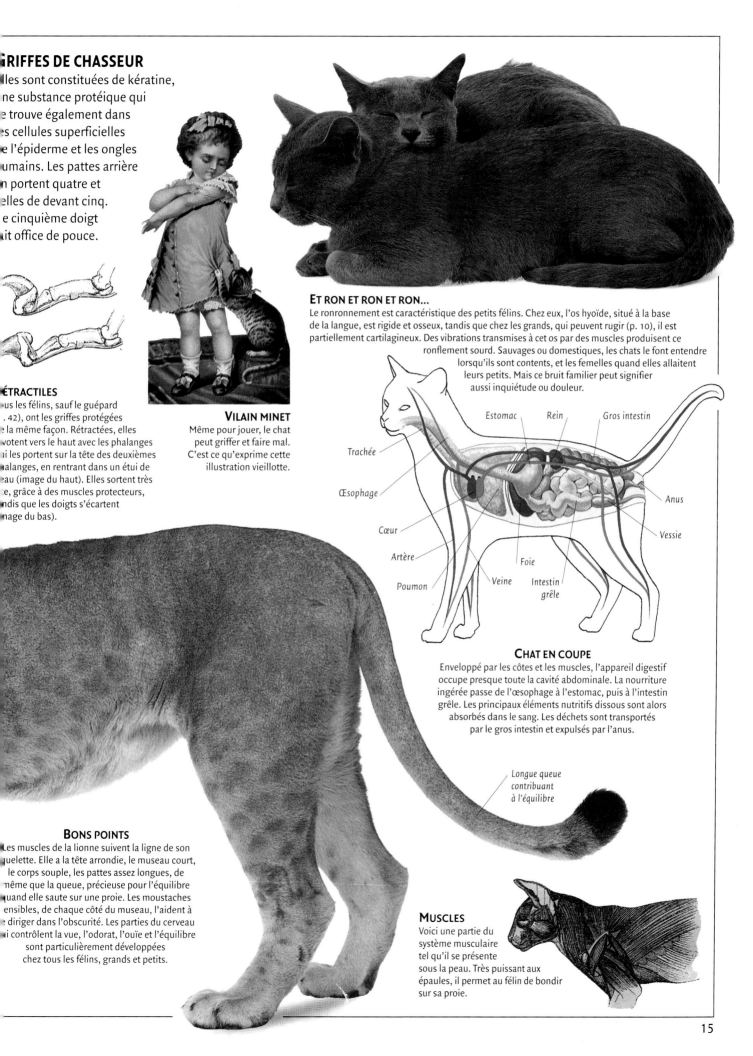

RÉTRACTILES

Tous les félins, sauf le guépard (p. 42), ont les griffes protégées de la même façon. Rétractées, elles pivotent vers le haut avec les phalanges qui les portent sur la tête des deuxièmes phalanges, en rentrant dans un étui de peau (image du haut). Elles sortent très vite, grâce à des muscles protecteurs, tandis que les doigts s'écartent (image du bas).

VILAIN MINET
Même pour jouer, le chat peut griffer et faire mal. C'est ce qu'exprime cette illustration vieillotte.

ET RON ET RON ET RON...

Le ronronnement est caractéristique des petits félins. Chez eux, l'os hyoïde, situé à la base de la langue, est rigide et osseux, tandis que chez les grands, qui peuvent rugir (p. 10), il est partiellement cartilagineux. Des vibrations transmises à cet os par des muscles produisent ce ronflement sourd. Sauvages ou domestiques, les chats le font entendre lorsqu'ils sont contents, et les femelles quand elles allaitent leurs petits. Mais ce bruit familier peut signifier aussi inquiétude ou douleur.

Trachée — Œsophage — Cœur — Artère — Poumon — Veine — Foie — Intestin grêle — Estomac — Rein — Gros intestin — Anus — Vessie

CHAT EN COUPE
Enveloppé par les côtes et les muscles, l'appareil digestif occupe presque toute la cavité abdominale. La nourriture ingérée passe de l'œsophage à l'estomac, puis à l'intestin grêle. Les principaux éléments nutritifs dissous sont alors absorbés dans le sang. Les déchets sont transportés par le gros intestin et expulsés par l'anus.

Longue queue contribuant à l'équilibre

BONS POINTS
Les muscles de la lionne suivent la ligne de son squelette. Elle a la tête arrondie, le museau court, le corps souple, les pattes assez longues, de même que la queue, précieuse pour l'équilibre quand elle saute sur une proie. Les moustaches sensibles, de chaque côté du museau, l'aident à se diriger dans l'obscurité. Les parties du cerveau qui contrôlent la vue, l'odorat, l'ouïe et l'équilibre sont particulièrement développées chez tous les félins, grands et petits.

MUSCLES
Voici une partie du système musculaire tel qu'il se présente sous la peau. Très puissant aux épaules, il permet au félin de bondir sur sa proie.

SUR LA BRÈCHE
Le chat évalue très précisément distances et espaces grâce à ses poils et ses moustaches sensibles à la moindre pression. Il sait ainsi s'il peut se faufiler dans un passage étroit.

ONT-ILS UN SIXIÈME SENS ?

Les chats sauvages chassent la nuit. Constamment aux aguets, prêts à grimper aux arbres ou à plonger dans un trou en cas de danger, ils tuent leur proie et la dévorent aussi vite que possible. Pour pouvoir se déplacer dans l'obscurité, scruter alentour, capter le moindre bruit et flairer la présence d'autres animaux, ils possèdent des sens extraordinairement développés. Grâce à leur organe de Jacobson, les chats disposent d'un « sixième » sens qui les renseigne sur l'état sexuel des autres individus (pp. 14-15). La faculté des chats domestiques de retrouver la maison de leur maître, quitte à parcourir des kilomètres, est également légendaire. Cette aptitude s'explique par leur mémoire visuelle, leur odorat et peut-être leur sens magnétique.

L'HEURE OÙ LE PUMA VA BOIRE
Celui-ci se désaltère dans une flaque. Tous les félins ont régulièrement besoin d'eau, sauf le chat des sables.

@ Sens

Pupilles dilatées en haut, contractées en bas

NOCTURNE
La nuit, le chat est six fois plus sensible à la lumière que les hommes grâce à une couche de cellules située derrière la rétine, le *tapetum lucidum*, qui réfléchit la lumière. Ses yeux sont fluorescents dans le noir quand une lumière rencontre ce miroir.

OUVRIR L'ŒIL
Les félins ont de grands yeux ronds qui leur procurent un large champ visuel. Dans l'obscurité, la pupille se dilate pour capter le plus de lumière possible. Elle se contracte au grand jour, jusqu'à devenir une étroite fente chez les petits ou un point arrondi chez les grands.

FIDÈLE JUSQU'À LA PRISON
Le comte de Southampton, qui s'était rebellé contre Elisabeth Ire d'Angleterre, fut emprisonné à la tour de Londres en 1601. L'histoire veut que son chat, resté dans sa demeure londonienne, le rejoignît tout seul. Arrivé à la tour, il passa par les toits, traversa les créneaux et trouva la pièce où était son maître. Il réussit à s'y introduire par une cheminée. Cette peinture date de l'époque où se situe l'aventure, peut-être vraie, du héros à la fourrure.

MÉFIANCE, MÉFIANCE
Devant une nourriture inconnue ou un objet inhabituel, le chat est toujours prudent. Il commence par tendre la patte pour donner de petites tapes avant d'approcher le museau pour un examen plus précis.

Les chats ne flairent pas comme les chiens, mais l'odorat les aide à identifier la nourriture, d'autres animaux et les hommes.

Européen écaille et blanc

TOUS LES SENS À LA RESCOUSSE
L'ouïe et l'odorat sont beaucoup plus développés chez le chat que chez l'homme. Même si ce dernier est plus sensible à la couleur, le chat, lui, capte la moindre parcelle de lumière, ce qui fait dire, à tort, qu'il voit dans le noir. Lorsque l'obscurité est totale, il se guide à l'oreille et avec ses moustaches, ses coussinets plantaires, ses poils et la fourrure de sa queue.

Le grand pavillon en forme de cône localise les bruits et canalise les ondes sonores jusqu'au tympan.

Ses yeux sont grands ouverts quand il est vigilant ou intéressé ; mi-clos quand il est en colère ou effrayé.

LES VIBRISSES
Plus souvent appelés moustaches, ces longs poils raides, avec des terminaisons nerveuses à la racine, sont disposés de manière à toucher les objets proches et relayent la vue quand il fait trop sombre.

nez, sans fourrure, t très sensible. Des cepteurs situés dans muqueuse envoient s signaux au lobe olfactif cerveau, à l'avant du crâne.

La langue rugueuse sert à sa toilette, à celle des chatons et à laper. Le sens du goût permet au chat, qui avale la viande tout rond, de détecter très vite un morceau avarié.

Abyssin roux

DES CHAMPIONS DE L'ÉQUILIBRE

Tout, chez les félins, est adapté à l'action immédiate, au mouvement et à l'équilibre parfait. Les plus lourds, comme le lion et le tigre, sont d'une incroyable agilité, capables de bonds prodigieux, même s'ils ne peuvent, hormis le guépard (p. 42), courir vite très longtemps. Ces dispositions sont essentielles pour poursuivre une proie et la mordre au cou, par-devant ou par-derrière. Les muscles et les os de la poitrine sont puissants (p. 15) et les ligaments à la fois très résistants et très souples. À la différence des autres carnivores, ils ont une clavicule qui amortit le choc des sauts, protégeant les épaules. De part et d'autre du thorax (pp. 12-13), les omoplates facilitent l'escalade tandis que l'essentiel du poids repose sur les membres antérieurs. Une longue queue sert de balancier pour la course et le grimper.

Tous sont digitigrades (pp. 12-13) – ils ne s'appuient que sur leurs doigts, la paume et la plante ne touchant pas le sol lors de la marche – et leurs pattes sont pourvues d'épais coussinets.

IL A DE LA PATTE
Les grands félins peuvent tuer d'un coup de patte. Le lion, qui connaît sa force, ne blessera jamais un membre de sa troupe.

Le chat rassemble ses quatre pattes pour mieux sauter.

Etirement maximal à mi-saut

LE GRAND SAUT
Bandant puis relâchant les muscles des pattes et du dos, la queue servant de balancier, les félins sautent comme les autres animaux. Mais ils sont les seuls à déterminer très précisément leur point d'atterrissage, un atout majeur pour chasser les proies rapides.

En équilibre sur les pattes postérieures au début du saut

Jeune puma

PROMPT RÉTABLISSEMENT
Même de très haut, les félins semblent toujours retomber sur leurs pattes. La plupart des petites espèces, de même que le léopard, passent une partie de leur vie dans les arbres. Leur sens parfait de l'équilibre est une adaptation à la chasse des animaux rapides (écureuils, oiseaux) évoluant sur des branches fragiles. Leur système nerveux a évolué pour que, conjuguant le travail des yeux et de l'oreille interne, ils puissent se redresser, même à mi-chute, évitant de se blesser à l'arrivée.

A faible allure, les pattes opposées avancent à l'unisson, la droite avec la gauche postérieure.

UN PEU D'EXERCICE
Les petits doivent s'entraîner et se muscler pour égaler leurs parents en agilité. Les pattes de ce jeune puma sont disproportionnées, et il paraît maladroit ; mais la croissance et l'entraînement aidant, il va devenir aussi souple et harmonieux que sa mère et son père.

À TOUTES PATTES

Pour courir, le félin s'aide de ses pattes postérieures qu'il pousse en même temps, pour une ample avancée, tandis qu'il pose celles de devant alternativement le plus vite possible. Cette séquence, qui date de 1887, illustre bien le mouvement de ses membres à la course.

Les pattes antérieures touchent terre, il rapproche celles de derrière.

Les quatre pattes sont posées à terre.

IL NE CRAINT PAS L'EAU FROIDE

Tous les félins savent nager, mais bien peu apprécient l'eau. Le tigre est une exception. Dans la forêt tropicale asiatique, il passe une partie de son temps dans l'eau ou à proximité, pour se rafraîchir.

La queue est essentielle pour l'équilibre, comme le balancier pour le funambule.

DU HAUT D'UN ARBRE

Quand ils commencent à escalader, les chatons, comme les enfants, ignorent le danger. Ils grimpent trop haut dans les arbres ou sur les toits, puis, terrifiés, n'osent plus avancer ni reculer. Après quelques faux départs, ils se décident à plonger et retombent sur leurs pattes.

Peau lâche et muscles pas encore développés

ÉQUILIBRISTE SANS FILET

Ce chat marche en toute tranquillité en haut d'une barrière en bois très étroite. Posant délicatement une patte, puis l'autre, il ne risque pas de tomber.

L'HEURE DU BAIN
Les chats n'aiment pas l'eau, sauf sur cette image
du xixe siècle où ils ont l'air de bien s'amuser.

EN SE LAVANT, ILS SE PARFUMENT

Grands, petits, sauvages ou domestiques, les félins sont exceptionnellement propres. Ils passent un temps fou à ôter les poussières collées sous leurs pieds, à grands coups de langue, et à se débarbouiller le museau avec les pattes. Ils sont alors prêts à dormir aussi bien qu'à agir. La toilette, qui leur procure calme et détente, leur sert aussi à étaler leur propre odeur sur tout le corps et sur les objets auxquels ils se frottent, à partir des sécrétions de glandes sébacées situées dans la peau. On ne sait pourquoi le chat domestique enterre ses excréments, mais ses maîtres ne s'en plaignent pas. Certaines espèces sauvages, elles, déposent les leurs bien en vue pour marquer leur territoire (pp. 26-27). Ce qui nous paraît relever de la seule hygiène, se lécher, faire ses griffes, etc., correspond, pour les félins, à un code de communication compliqué, passant par l'odorat et le toucher.

La souplesse de son
cou permet au chat
d'atteindre toutes les
parties de son corps.

UN VENTRE BIEN BROSSÉ
En se léchant, le chat nettoie sa fourrure pour son confort, bien sûr,
mais aussi renforce sa propre odeur. Il réagit par exemple,
après avoir été caressé, ou après la tétée des chatons.

LANGUE À TOUT FAIRE
Elle sert à manger, boire et se laver.
Sa surface, légèrement râpeuse chez
les mammifères, s'est ici garnie de
papilles dures, hérissées en arrière,
pour nettoyer des os ou le fond des
boîtes de conserve. Elle peut aussi
prendre la forme d'une cuillère pour
laper l'eau, ou d'un peigne à fourrure.

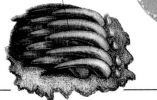

Gros plan des papilles :
cornées, elles sont dirigées
vers l'arrière.

Chaque papille a la form[e]
d'une langue miniature.

20

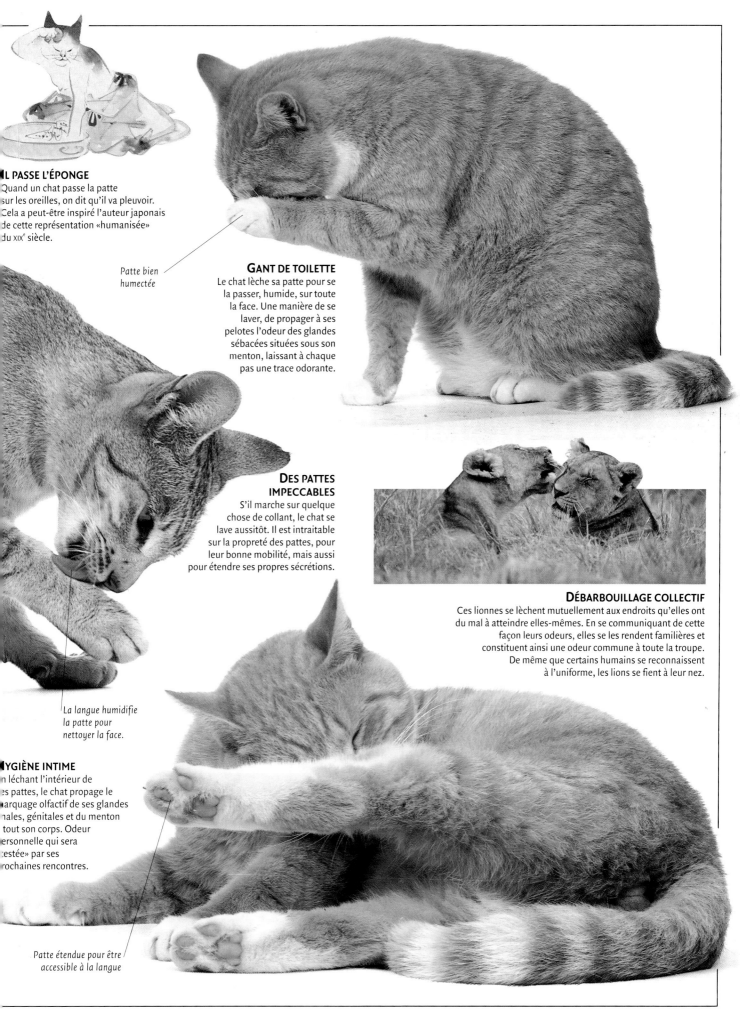

IL PASSE L'ÉPONGE

Quand un chat passe la patte
sur les oreilles, on dit qu'il va pleuvoir.
Cela a peut-être inspiré l'auteur japonais
de cette représentation «humanisée»
du XIXe siècle.

*Patte bien
humectée*

GANT DE TOILETTE

Le chat lèche sa patte pour se
la passer, humide, sur toute
la face. Une manière de se
laver, de propager à ses
pelotes l'odeur des glandes
sébacées situées sous son
menton, laissant à chaque
pas une trace odorante.

DES PATTES
IMPECCABLES

S'il marche sur quelque
chose de collant, le chat se
lave aussitôt. Il est intraitable
sur la propreté des pattes, pour
leur bonne mobilité, mais aussi
pour étendre ses propres sécrétions.

DÉBARBOUILLAGE COLLECTIF

Ces lionnes se lèchent mutuellement aux endroits qu'elles ont
du mal à atteindre elles-mêmes. En se communiquant de cette
façon leurs odeurs, elles se les rendent familières et
constituent ainsi une odeur commune à toute la troupe.
De même que certains humains se reconnaissent
à l'uniforme, les lions se fient à leur nez.

*La langue humidifie
la patte pour
nettoyer la face.*

HYGIÈNE INTIME

En léchant l'intérieur de
ses pattes, le chat propage le
marquage olfactif de ses glandes
anales, génitales et du menton
à tout son corps. Odeur
personnelle qui sera
«testée» par ses
prochaines rencontres.

*Patte étendue pour être
accessible à la langue*

LA CHASSE :
UN ART ET UN JEU

À l'état sauvage, les Félidés
se nourrissent des animaux qu'ils tuent,
quoique le chapardage de carcasses
ne les effraie pas. Solitaires, sauf le lion qui
chasse en famille (pp. 28-29), ils s'attaquent
presque toujours à des bêtes plus petites
qu'eux, repérées au bruit et à l'odeur, quand
bien même elles restent immobiles. Ils les
mordent au cou, de leurs canines acérées,
après une patiente approche suivie d'une
attaque foudroyante. Dotés d'une excellente
mémoire des lieux, ils reviennent là où ils ont
eu, ne serait-ce qu'une fois, la chance
d'attraper une proie. Les petits félins
mangent surtout des rongeurs, des
oiseaux, des lézards, des insectes
et autres bestioles à leur portée.
Les grands félins comme la panthère
s'intéressent à du gibier plus important,
de la taille d'une chèvre, qu'ils hissent
parfois dans les arbres, à l'abri
des autres prédateurs. Adultes,
les chats domestiques conservent
leurs habitudes de chatons
en jouant avec leur proie.

TOM ET JERRY
La souris futée du dessin animé dame souvent
le pion à un Tom fanfaron et bêta. On est loin
de la réalité...

*Le félin rôde en
aplatissant le corps.*

L'APPROCHE SILENCIEUSE
Cette panthère noire est prête à tuer.
Tout son corps est en alerte. Elle se déplace
lentement et silencieusement jusqu'à être assez
près pour bondir sur sa proie. Du lion qui
attaque un buffle au chat qui guette une
souris, tous les félins chassent ainsi.

*Ses coussinets plantaires
l'aident à marcher
sans bruit.*

SOURICIERS MÉDIÉVAUX
Cette peinture extraite d'un ouvrage
du XIIIe siècle indique que, déjà,
le chat était utilisé pour
chasser les rats.

PLONGEON PARFAIT
Les chats se postent souvent
de manière à voir sans être vus.
Celui-ci s'est assis sans bruit
sur une barrière et y a passé
un moment, scrutant l'herbe
au-dessous de lui. A présent,
il s'élance très précisément
sur une proie sans méfiance.

Panthère noire

CHAT QUI PÊCHE
Le chat viverrin d'Asie tropicale ne se nourrit pas comme les autres. Il sort le poisson de l'eau avec ses pattes légèrement palmées. On l'a vu plonger et en attraper avec la gueule.

LA QUEUE DU CHAT
C'est le baromètre de ses humeurs. Elle bat quand il est en colère alors que, concentré et content, il la remue doucement.

SUR LE QUI-VIVE
Le guépard et les springboks se regardent en «chats» de faïence... Le premier n'attaquera point tant qu'une de ces antilopes ne lui paraîtra pas vulnérable. Elles le savent et ne bougeront que s'il s'approche trop. Une fois sa proie choisie, il la poursuivra à toute vitesse.

@IN
Chasse

ENTRAÎNÉS À TUER
La plupart des félins jouent avec leur proie avant de la tuer. Les mères leur ont appris à la capturer, puis à la relâcher pour bien regarder comment s'y prendre. On ne sait pourquoi, adultes, ils continuent ce manège cruel. Un reste d'enfance ?

Il s'amuse avec ce jouet comme avec une proie.

Serval

DÎNER DE POULET
Ce serval s'accroupit pour manger, comme beaucoup de petits félins. Quand leur proie est assez menue, ils avalent la tête tout rond, sans presque la mâcher. Les grands, eux, s'allongent, la nourriture calée entre les pattes antérieures.

PPÉTIT D'OGRE
e tigre peut briser un os d'un coup de dent. dévore les carcasses entières, peau comprise.

IL LEUR FAUT UNE ENFANCE PROTÉGÉE

À la naissance, tous les Félidés sont des bébés minuscules, fragiles et aveugles pendant au moins neuf jours. Seuls les petits du lion, et parfois de la panthère, ont un nom particulier parmi les grands félins ; dans l'ensemble, on parle simplement de chatons. Les chattes en ont à peu près quatre par portée dont elles s'occupent toutes seules, sans que le père s'en mêle. Elles ont besoin d'un lieu sûr pour mettre bas. À la maison elles choisiront un endroit sombre : sous un meuble ou dans un placard. Dans la nature, pour les lynx roux ou les tigres, ce sera la tanière. La gestation chez la chatte domestique dure environ deux mois, puis les chatons tètent pendant six à huit semaines, avant d'être progressivement sevrés et de passer à la viande. Ils deviennent vraiment indépendants à six mois, mais certains restent dans le giron maternel jusqu'à l'âge de deux ans. La gestation des lionnes est plus longue et demande 100 à 119 jours. Tout petits à côté de leur mère, les lionceaux ne sont pas sevrés avant le quatrième mois.

IL FAIT SA PELOT
Le chaton de cette estamp japonaise joue avec un pelote de laine. Faisar figure de proies, les jouet sont un bon entraînemer à la capture et à la chasse

@▸▸
Croissance

LA COUR DU LION
Lorsque la lionne est en rut, prête à l'accouplement, le mâle dominant de la troupe reste près d'elle et empêche les autres d'approcher. Il s'accouple avec elle plusieurs fois durant les deux ou trois jours où elle l'accepte. Chaque coït ne dure que quelques secondes.

CHATTERIES
Même quand ils vivent en appartement, sans contac avec la nature, les chats domestiques conservent leu instinct. Ces chatons sevrés restent sous la protectio de leur mère, qui les lèche. Elle leur apprend aussi à faire leur toilette et leur montre où faire leurs besoins Ceux qui sont séparés trop tôt de leur mère peuvent avoir plus tard des comportements névrotiques, comme les humains orphelins.

Une bel fourrure u pousser pa dessus la bour laineuse d chato

ACCOUPLEMENT
La chatte l'accepte seulement lorsqu'elle est en chaleur (œstrus), deux fois par an, pendant 3 à 5 jours (p. 61). Même s'il ne dure que quelques secondes, il a lieu plusieurs fois avec différents mâles.

Panthères en famille devant leur tanière

CRISE D'IDENTITÉ
Les petits ont souvent une robe différente de celle des adultes. Ce bébé puma a des taches, des rayures et la queue annelée. Tout cela disparaîtra à la maturité. Les lionceaux aussi sont souvent tachetés. Les chatons de certaines races domestiques, comme les siamois, naissent tout blancs, les parties foncées ne se développant que plus tard.

Abyssin roux et ses petits

La langue maternelle nettoie le chaton et le familiarise avec les odeurs des autres.

Au début, les pattes sont un peu arquées et incertaines.

RÉCRÉATION
Le jeu est une importante activité d'apprentissage. Ainsi, ces chatons apprennent à se battre et à s'arrêter à temps pour ne pas se blesser. Cela exerce leurs muscles et entraîne le cerveau et le système nerveux à réagir vite.

CONVOI EXCEPTIONNEL
Au moindre danger, les mères éloignent leurs petits pour les protéger. En attrapant le sien entre ses dents par la peau lâche du cou, cette lionne le soulève de terre sans lui faire mal. Lorsqu'il est ainsi saisi, le petit félin reste instinctivement inerte.

Chaque chaton a «sa» tétine parmi les différentes paires.

Chat effrayé

ILS N'ONT PAS UN CARACTÈRE DE TOUT REPOS

Les différents félins se comportent tous, peu ou prou, de la même manière. Les espèces sauvages mettent bas dans leur tanière, à l'abri d'éventuels prédateurs. Et leurs cousins domestiques, pourtant bien en sécurité chez leur maître, éprouveront le besoin de chercher un endroit tranquille et sombre dans la même circonstance. Sauf le lion, tous sont des chasseurs solitaires et s'isolent pour manger. Tous aussi jaloux de leur territoire, bout de jardin ou arpent de forêt, qu'ils marquent pareillement d'un jet d'urine et en y déposant leurs excréments. En famille, ils échangent leurs odeurs en se frottant, se léchant mutuellement, et communiquent au moyen d'un répertoire vocal commun, du miaulement aux réclamations plus stridentes. Ils dorment beaucoup, surtout le jour, pour être pleinement actifs la nuit. Nos minets «pantouflards» ne font d'ailleurs pas autrement : pas question pour eux de se plier à nos horaires, sauf quand il s'agit des repas. Ils ne se laissent pas non plus dresser comme les chiens. Les chats veulent bien nous tenir compagnie, mais ils ne peuvent pas renoncer à leur caractère profond.

L'APPEL DE LA NATURE
Depuis la nuit des temps, le rugissement du lion est le cri animal le plus impressionnant. Il n'est pourtant pas destiné à effrayer mais à communiquer avec les autres membres de la troupe.

IL NE FAUT PAS LE RÉVEILLER
Le chat est le champion de la sieste. Dans les pays chauds, cela peut l'occuper jusqu'à 18 heures par jour et il chassera à la fraîche. Il dort d'un œil, prêt à réagir au danger, et par petites séquences plutôt que d'une traite.

AMI...
Les félins sont jaloux de leur espace. Cette chatte se sent menacée, son voisin est un peu trop près à son goût. Elle s'accroupit en feulant, sur la défensive. Elle peut aussi hérisser le poil pour paraître plus grosse.

Les oreilles couchées sont une mise en garde.

Elle feule pour qu'i la laisse tranquille, sinon elle se battra

DOUCEUR DES CÂLINS
Les félins «sociaux», chats domestiques ou lions, se donnent parfois de petits coups de tête pour manifester leurs intentions pacifiques. Un frôlement fréquent chez les chatons exprime la satisfaction.

DANS NOS JAMBES
Lorsqu'ils se frottent à nous, c'est pour exprimer leur affection et nous communiquer leur odeur, signalant leur présence.

CARTE DE VISITE TRÈS PERSONNELLE

Tous les félins marquent leur territoire d'un jet d'urine et par des sécrétions de leurs glandes. Le dos à un poteau ou à un arbre, ils soulèvent l'arrière-train, la queue en l'air, et envoient une petite giclée à l'odeur puissante.

SOINS DE MANUCURE

Les félins passent du temps à se faire les griffes sur les troncs d'arbres, ou sur les canapés... pour les chats domestiques. Cela ne les aiguise d'ailleurs pas forcément mais les nettoie et exerce les muscles des pattes en les étirant. Pour sauver leur mobilier, certains maniaques font pratiquer l'ablation des griffes de leur chat. Cette mutilation n'est pas conseillée car elle handicape l'animal dont le comportement peut alors se détériorer.

Dos un peu voûté pour paraître plus gros

L'écorce des arbres pâtit des griffes de la lionne.

CLUB DE CHATS

Cette illustration d'un livre anglais pour enfants du XIXe siècle donne une vision charmante de chats se distrayant en société. Dans la réalité, les bandes de chats domestiques se constituent en fonction de la nourriture disponible et au hasard des liens familiaux : en général, des femelles parentes et quelques mâles dominants.

La queue bat en signe d'énervement.

... OU ENNEMI ?

Le chat évalue les intentions de l'autre d'une patte interrogative. Celui-ci se demande jusqu'où il peut approcher la chatte écaille-de-tortue. Etant donné sa réaction négative, il va sans doute s'éloigner en affectant de s'intéresser à autre chose.

HEUREUX

Petits et grands félins se roulent sur le dos pour exprimer affection et contentement. Il faut qu'ils se sentent en pleine confiance pour montrer leur ventre. De la part des femelles, c'est aussi un indice de la survenue des chaleurs (p. 24).

27

Lion d'Afriqu

PERSAN
Cette assiette iranienne représente
un lion sur fond de lever de soleil,
symbole de la royauté.

LE LION EST LE ROI INCONTESTÉ

Lorsque les hommes vivaient de la chasse et de la
cueillette, il y a plus de 10 000 ans, les lions, alors
nombreux à travers toute l'Europe, l'Asie et l'Afrique,
leur disputaient leur pitance. C'est à cette lointaine
époque qu'a dû s'enraciner le respect que nous inspire
encore le «roi des animaux». Mais aujourd'hui, hormis
les 200 spécimens qui subsistent dans la réserve de Gir,
au nord-ouest de l'Inde, on ne le rencontre plus qu'en
Afrique, par groupes d'une douzaine d'individus. À cause de ses mœurs
collectives, il est le seul Félidé à pouvoir tuer des proies plus grosses que lui.
La défense du territoire revient aux mâles, qui l'arpentent en rugissant
et le délimitent avec leur urine (pp. 26-27). Les lionnes, elles, font
le plus gros de la chasse, qui commence après la tombée
de la nuit. Tous les deux ans, elles mettent
au monde en moyenne cinq petits. Un lion
qui vient de «conquérir» une nouvelle troupe
tue parfois les lionceaux qui ne sont pas de lui.

POUVOIR ROYAL
Superbe, corps massif et canines
énormes, le lion règne sur sa troupe.
Si les lionnes chassent, c'est à lui que
revient la meilleure place pour la mise
à mort et le droit d'être le premier
à dévorer la proie, à se tailler
«la part du lion».

Lionne d'Afrique

*La lionne n'a pas
de crinière
qui, à la chasse,
la gênerait.*

LE ROI AIME LA SOCIÉTÉ
La composition des troupes, ou clans, est variable mais
les femelles y sont toujours plus nombreuses. Devenus adultes, les
petits mâles sont chassés par leurs aînés, et vont tenter leur chance
auprès d'un autre groupe de femelles.
Les lions partagent leur territoire avec
d'autres carnivores qui se disputent
leurs moindres restes.

MATRIARCAT
Etroitement
apparentées, sœurs,
filles, tantes, les lionnes
sont l'âme de la troupe.
Puissantes et souples, elles
rampent pour surprendre
leur proie avant de la tuer.

ZODIAQUE
Les natifs du signe astrologique du
Lion sont, dit-on, fiers, courageux,
forts et égocentriques. Comme
le roi des animaux.

ANCIEN TESTAMENT
Dans le livre biblique qui porte son nom, Daniel, jeune noble judéen, fut fait prisonnier par le roi de Babylone, Nabuchodonosor. Par l'interprétation des songes et autres prodiges, il lui démontra la suprématie de Yahvé. Daniel fut néanmoins jeté dans la fosse aux lions qui, miraculeusement, ne lui firent aucun mal.

Sa crinière fait paraître le lion plus gros qu'il n'est, ce qui peut éloigner les ennemis.

UN SUJET ARTISTIQUE
Le lion figure souvent dans la peinture et l'architecture de la Renaissance. Sur la fameuse tapisserie de *La Dame à la licorne*, au musée parisien de Cluny, il se tient pacifiquement aux côtés de la licorne, symbole de pureté.

MYTHOLOGIE
En expiation du meurtre de ses fils, le héros grec Héraclès (Hercule chez les Romains) fut condamné à douze travaux. Le premier consistait à tuer le lion de Némée, invulnérable aux flèches. Il l'étouffa et revêtit sa peau pour se protéger.

Touffe de poils renforçant encore sa puissante apparence

Les taches encore visibles sont un reliquat du temps où elle était en bas âge.

La touffe au bout de la queue sert de signal visuel, indiquant aux autres l'activité et l'humeur.

LE TIGRE, UN ATHLÈTE BIEN CHARPENTÉ

Le tigre est le plus grand et le plus puissant de tous les Félidés. Au début du siècle, il vivait en Asie, depuis le nord du Moyen-Orient jusqu'en Corée, et de la Sibérie orientale à Java et Bali, mais aujourd'hui, son espèce tout entière est en danger. Il tente de survivre dans quelques réserves tropicales et dans des régions marécageuses comme celles du delta du Gange, en Inde. Le plus lourd de tous habite les forêts sibériennes enneigées où il n'en reste que 200 spécimens environ. Il a surtout souffert de la destruction de son habitat et a été décimé par la chasse, quel qu'en soit le prétexte, «sport», fourrure ou protection des bêtes et des gens. Le beau félin chasse en solitaire d'assez gros animaux, cerfs et sangliers. Cela implique que, pour subsister en nombre, les tigres ont besoin de très grands territoires qu'ils défendent contre les intrus. Comme tous les félins, ils épient leur proie pour l'approcher le plus près possible, car ils ne peuvent courir très longtemps. Dans les régions chaudes, les tigres se baignent volontiers dans les rivières et cachent leur prise dans les enchevêtrements de la mangrove ou dans l'eau.

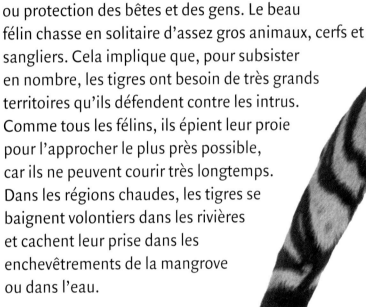

«SURPRIS»
Sur cette célèbre peinture du Douanier Rousseau (1844-1910), le tigre, bien camouflé, rôde dans la jungle détrempée.

NOBLE ANIMAL
Il a aussi inspiré le poète et peintre anglais William Blake (1757-1827). En effet, si le lion a été sacré roi des animaux à cause de sa crinière et de son port majestueux, le tigre, lui, est encore plus imposant (il a donné à Georges Clemenceau, grande figure de la IIIe République, son surnom). Bien qu'il soit très lourd – jusqu'à 260 kg en Inde, et plus encore en Sibérie –, il a le même mode de vie que les autres félins.

Sa robe rayée le dissimule dans les hautes herbes et la forêt.

Très longue queue à rayures rapprochées

MASSACRE
En Inde, le tigre était respecté jusqu'à l'arrivée des Européens, qui estimaient que sa chasse, à dos d'éléphant, était un excellent «sport». Quand le pays est passé sous la souveraineté britannique, au milieu du XIXe siècle, ce fut une véritable hécatombe, les colonisateurs claironnant qu'il n'y avait de bon tigre que mort et offrant aux Indiens, en 1888, une récompense à ceux qui en tuaient. Aujourd'hui, le tigre indien est à nouveau respecté et le gouvernement a élaboré un projet pour le sauver de l'extinction.

Le corps massif n'est pas très haut, ce qui permet au tigre de se cacher dans l'herbe ou dans l'eau.

IVRESSE ?
Cette mosaïque datant du
Ier ou IIe siècle av. J.-C. a été
découverte à Londres.
On y voit Bacchus,
le dieu du vin,
se prélassant
sur un tigre.

Tigre

TIGRE DE PAPIER
Peinte en 1795 par le Japonais Gankû
(1749/56-1839), cette estampe
représente en détail
un tigre féroce
près d'un torrent
déchaîné
au trait plus
approximatif.

rayures du dos
nt plus espacées.

Tête arrondie
et longues
moustaches

MANGEUR D'HOMMES
En de rares occasions, le tigre peut s'attaquer aux humains.
Quand, par exemple, il est trop vieux et trop faible pour tuer
des bêtes sauvages ou lorsque notre présence et nos activités
font fuir ses proies. Le gouvernement indien essaie, non sans
mal, de maintenir le tigre et l'homme loin de l'autre.

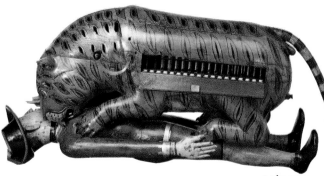

MÉCANIQUE
Ce grand jouet date de la seconde
moitié de l'Empire moghol (1749-
1858), en Inde. Remonté avec
une clef, le tigre attaque
le soldat anglais.

Patte énorme
pouvant renverser
sa proie d'un seul
coup

DES YEUX DERRIÈRE LA TÊTE
Les tigres attaquent presque toujours
par-derrière. Aussi, dans les forêts
marécageuses des Sundarbans, entre
l'Inde et le Bangladesh, les bûcherons
portent-ils des masques derrière la
tête pour ne pas se faire attaquer.

La panthère, une chasseresse discrète

La panthère – que l'on appelle parfois léopard – vit dans les forêts et les savanes boisées d'Afrique et en Asie. C'est le plus gros félin à avoir l'habitude de grimper aux arbres. Plus corpulent que le guépard mais moins lourd que le lion ou le tigre, c'est aussi un discret chasseur nocturne. Il arrive pourtant qu'on la surprenne à la poursuite d'une proie, en plein jour. Presque toujours solitaire, elle s'attaque parfois à du bétail domestique, mais tue surtout des babouins ou des macaques, des céphalophes ou des sangliers, et souvent des rongeurs. Mâles et femelles chassent les intrus de leur territoire qu'ils marquent en déposant un jet d'urine sur les branches et les troncs d'arbres. Les petits restent dans le giron maternel jusqu'à l'âge de deux ans, lorsqu'ils sont capables de se débrouiller tout seuls. La panthère est malheureusement partout menacée à cause de la destruction de son habitat et de sa trop belle fourrure.

@ Panthère

La panthère ne rugit pas, elle pousse une sorte d'aboiement rauque.

Des carcasses entières dans les arbres
Il est clair que cette panthère affalée a trop mangé. Elle transporte souvent proie dans les arbres, à l'abri des bandes de hyènes et des chacals. A terre, ces nécrophages auraient tôt fait de la lui voler.

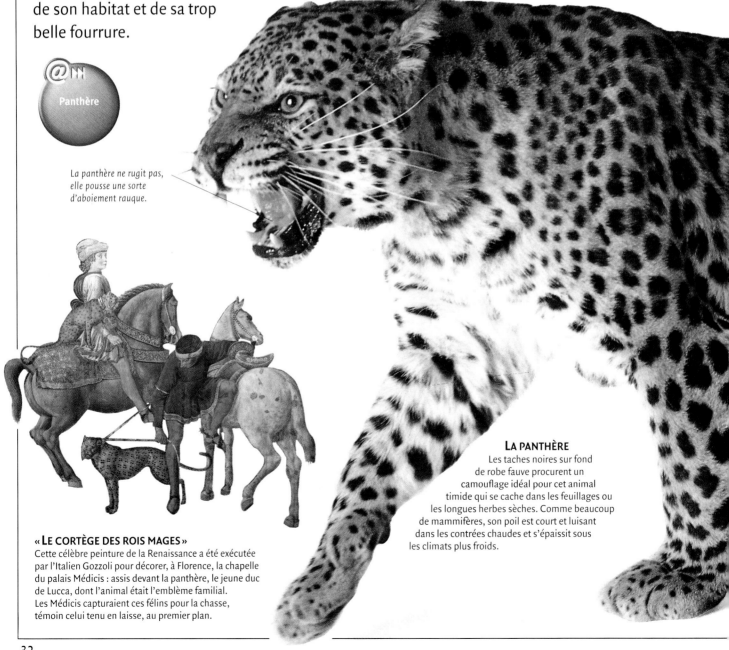

« Le cortège des rois mages »
Cette célèbre peinture de la Renaissance a été exécutée par l'Italien Gozzoli pour décorer, à Florence, la chapelle du palais Médicis : assis devant la panthère, le jeune duc de Lucca, dont l'animal était l'emblème familial. Les Médicis capturaient ces félins pour la chasse, témoin celui tenu en laisse, au premier plan.

La panthère
Les taches noires sur fond de robe fauve procurent un camouflage idéal pour cet animal timide qui se cache dans les feuillages ou les longues herbes sèches. Comme beaucoup de mammifères, son poil est court et luisant dans les contrées chaudes et s'épaissit sous les climats plus froids.

ANS TACHES?

 panthère noire est un animal
ıx taches présentes, mais indistinctes
r le fond sombre de la robe.
ı couleur est le résultat
une combinaison de gènes
ıi se retrouve chez beaucoup
autres espèces, dont
 jaguar et le chat
 mestique.

LA PANTHÈRE NOIRE

En regardant de près, on voit
des taches sur sa robe.
Ce pelage sombre dû à
la présence d'un pigment,
la mélanine, est plus
courant dans les forêts
du Sud-Est asiatique.

BAGHEERA

La panthère noire joue un rôle
important dans l'éducation de
Mowgli, le héros du *Livre de la
jungle*, de Rudyard Kipling.

L'ONCE, OU PANTHÈRE DES NEIGES

Ce grand félin très rare n'est pas de la même
espèce que la véritable panthère. Il vit
uniquement dans les hautes montagnes d'Asie
centrale où il chasse en solitaire bouquetins
et mouflons, lièvres et marmottes.

*Les taches sont plus
jolies sur la panthère
vivante que sur un
manteau de fourrure.*

*Longue queue annelée
de sombre*

*La bonne grosse patte
cache en fait des griffes
acérées pour chasser
et grimper aux arbres.*

ART DU BÉNIN

Cette plaque de bronze – qui date probablement
du XVIᵉ ou du XVIIᵉ siècle – décorait le palais royal
du Bénin (aujourd'hui au Niger). Reine de la
brousse, la panthère était importante dans les
mythes béninois. Seul le roi avait
le droit de tuer cet animal qui surpassait
les autres en force, en beauté et en sagesse.

LE JAGUAR, UN NAGEUR REDOUTÉ

C'est le seul grand félin du continent américain. Son nom vient du tupi «yaguara». Cette langue amérindienne désignait ainsi «une bête qui tue sa proie en bondissant». Il vit en Amérique du Sud, jusqu'en Patagonie, et fréquentait encore récemment le sud-est des États-Unis. Aujourd'hui, il est rare de le rencontrer au nord de la frontière mexicaine, et, bien que protégé, il n'en est pas moins partout menacé d'extinction. L'extension du déboisement détruit son habitat et, naguère, il était tué pour sa fourrure ocellée exceptionnelle (des milliers de sujets ont été sacrifiés). Ce félin ressemble à la panthère, en plus grand, en plus massif et en moins agile. À la différence de celle-ci, certains de ces ocelles sont centrés sur une tache noire. Les tapirs, les paresseux et les tortues figurent au régime de ce chasseur solitaire qui peut grimper aux arbres mais se sent plus à l'aise sur le sol ou dans l'eau.

Son territoire s'étend de 5 à 500 kilomètres carrés, selon l'abondance des proies.

LE JAGUAR
Un félin robuste, qui a même donné son nom à des voitures et à des avions.

DIEU FÉLIN
Le jaguar tient une place importante dans la mythologie sud-américaine. Sur cette poterie péruvienne de la civilisation inca, il dévore un homme.

CHASSEUR GROGNON
Le jaguar est plus lent et moins intrépide que la panthère. Il ne rugit pas comme les autres grands félins mais grogne en chassant et gronde s'il est menacé. Il se laisse parfois apprivoiser, pouvant, à l'extrême, être domestiqué comme un gros chat.

Corps massif, semblable à celui du lion

PRÉCOLOMBIEN

Les guerriers aztèques du Mexique étaient soit des «aigles», soit des «jaguars». A la fin de l'été, ils défilaient à la parade militaire annuelle. Sur cette illustration tirée d'un livre aztèque, le *Codex Cospi*, on voit que le «jaguar» portait une peau de jaguar et que sa tête servait de casque.

PLUS FORT QUE LES CROCODILES

Lorsqu'il vit dans les épaisses forêts tropicales d'Amérique du Sud, le jaguar y est plus foncé que ses congénères des savanes. Excellent nageur, il tue des crocodiles. En Amazonie, il a la réputation d'attirer les poissons à la surface de l'eau avec sa queue, le faisant ensuite sauter d'un coup de patte. Les tortues de rivière font partie de ses mets favoris.

TAPETTE À TAPIR

Dans la forêt amazonienne, les tapirs, qui appartiennent au même ordre de mammifères (à doigts impairs) que les rhinocéros et les chevaux, figurent au menu du jaguar. Mais ils sont devenus très rares.

Il baisse sa tête tachetée.

Rosette foncée

Patte avant veloutée, courte et puissante

TAPISSERIE DE TIAHUANACO

L'importance du jaguar dans la société péruvienne apparaît encore dans cette œuvre, qui date d'environ 1 000 ans. L'animal y est représenté de face et rampant.

LYNX ET PUMA, UNE BRILLANTE SOCIÉTÉ

De belle taille, le lynx, le lynx roux et le puma
– ou cougouar – sont néanmoins classés dans
les petits félins (le cougouar étant le plus grand).
En dépit de leur taille, leur anatomie les apparente
aux chats. Les deux lynx, le boréal et le roux, se
ressemblent et ont en commun un trait unique :
leur queue très courte. Tous deux se nourrissent d'animaux de la taille
du lièvre. Au Canada, leurs effectifs varient d'une année à l'autre, selon
l'abondance de leur principale proie, le lièvre à raquettes. Le lynx boréal
se rencontre en Amérique du Nord, en Europe et en Asie, le lynx roux dans
la seule Amérique du Nord et le puma sur tout le continent américain.
Si l'on trouve le premier dans les forêts européennes, tous trois
se plaisent surtout dans les paysages rocheux
et en haute montagne, jusqu'à 4 500 m
d'altitude.

PRIS AU PIÈ
La chasse au lynx roux et au lynx bor
est encore autorisée en Amérique du No
Tous les ans, 70 000 lynx roux sont captu
pour leur fourrure avec des pièges vicie
comme celui-ci. Mais les gens l'ignore
persuadés que l'interdiction de te
méthodes en France et en Grand
Bretagne est universe

PROPRE
La toilette du lynx roux, vue par le naturalis
américain John James Audubon (1785-185

Moignon de queue

Lynx roux

Le lynx roux n'a
que des pinceaux
courts sur les
oreilles.

LE LYNX ROUX
Sa robe parsemée de taches lui permet un camouflage parfait dans
les rochers et les broussailles. Chasseur solitaire, il s'intéresse aux petits
animaux. Il aime aussi les bains de soleil, en lieu sûr. Pendant l'accouplement,
il miaule comme un chat mais émet un son plus fort et plus aigu.
La femelle met bas dans une tanière tapissée d'herbe
ou de mousse, cachée dans les roches.

Favoris faisant penser
à une crinière

Le puma a une longue queue
à l'extrémité noire.

Les pattes postérieures sont plus
longues que les antérieures,
ce qui facilite le bond.

La robe du puma est de teinte
variable, mais la bourre
en est toujours pâle.

LYNX

...st parfaitement adapté aux forêts de conifères et aux broussailles épaisses
... son pelage beige, très peu tacheté, se confond avec la mousse et les rochers.
...s longs pinceaux de poils au bout de ses oreilles l'aident, pense-t-on,
...ien entendre les sons, qui portent moins dans la végétation dense.
... de larges pattes, très velues l'hiver, qui font office de raquettes
...lui permettent de marcher sur la neige sans s'y enfoncer.
...fin, sa bonne vision nocturne a rendu ses yeux légendaires.

Lynx en
pelage
estival

...x en manteau d'hiver

FÉTICHE

Dans la culture mohica,
au Pérou, vers 600 av. J.-C.,
le puma était vénéré comme
un dieu. Cette idole en or,
ornée de serpents à deux têtes,
servait peut-être à un rituel.

Les pupilles sont circulaires
et ne se contractent pas
en fentes comme chez
les plus petits chats.

LE PUMA

Il se sent aussi bien chez lui sur les rivages
venteux de la pointe d'Amérique du Sud que
dans les Rocheuses du Colorado, à l'ouest
des Etats-Unis. Bon grimpeur, il se dissimule
dans les rochers et est difficile à apercevoir,
bien qu'il chasse indifféremment le jour
ou la nuit. Il occupe de vastes territoires et
peut poursuivre sa proie sur une très longue
distance. C'est le plus grands des petits félins.

Puma

CHANGEMENT DE DÉCOR

En plus des régions montagneuses,
on trouve aussi le puma dans les
forêts pluviales d'Amazonie.

LES FÉLINS SONT DANS LA PLAINE

De nombreux félins habitent la savane, la steppe et le désert. Le lion est le plus grand de ces amateurs de plat pays. Derrière lui, le caracal et le serval sont les plus gros félins de milieu ouvert, le guépard excepté. Le premier habite l'Afrique et l'Asie tropicale sèche, le second seulement l'Afrique, au sud du Sahara. Surtout nocturnes, ils vivent aux dépens de petits animaux, oiseaux, rongeurs, lézards, coléoptères et serpents. Sur leurs pattes plus longues que celles de leurs congénères sylvestres, ils sont assez rapides dans les courses brèves, notamment quand il s'agit d'échapper aux hyènes et autres prédateurs qui les dévoreraient volontiers. En Afrique du Nord, le caracal est aussi appelé lynx de Barbarie, à cause des pinceaux de ses oreilles, mais il n'a pas la queue aussi courte que le lynx boréal. Le serval a été chassé en Afrique orientale pour sa viande et sa peau qui, tannée, se porte en costume traditionnel local.

Oreilles noires avec des touffes de poils de 4,5 cm

LE CARACAL
Son nom vient d'un mot turc signifiant « oreille noire ». Son aire de répartition est plus vaste que celle du serval. On le trouve en Asie aussi bien qu'en Afrique. Il a deux ou trois petits par portée, qui naissent dans des terriers d'emprunt, des crevasses ou des broussailles. Guère bruyant, il crie portant fort pour appeler sa femelle.

VOLTIGEUR
Le caracal, qui s'apprivoise facilement, était jadis dressé, en Inde et en Perse (aujourd'hui en Iran), à attraper les lièvres et les oiseaux. Formidable chasseur, il saute très haut pour capturer des oiseaux en vol, d'un coup de patte. C'est aussi un bon grimpeur capable de tuer des aigles perchés dans les arbres.

Longue patte solide pour les pointes de vitesse

JUSQU'AU COU
Le caracal vit dans les hautes prairies, les broussailles et le semi-désert, en Asie du Sud-Ouest et en Afrique.

LE SERVAL

C'est un des hôtes les plus remarquables de la savane. Petite tête, robe tachetée et longues pattes, il a un faux air de guépard miniature. Il chasse de petits animaux et se plaît près de l'eau. Bon grimpeur, comme le caracal, il attrape aussi les oiseaux.

LE CHAT DE MARGUERITE

Félin très rare, c'est un authentique habitant du désert, qui dort dans un terrier de sable ou sous des racines, durant les heures brûlantes de la journée. La nuit, il quitte sa retraite pour chasser les lézards et les rongeurs. Il subsiste sans eau, s'hydratant de ses seules proies. Un épais pelage recouvre le dessous des pattes de ce chat joufflu qui peut ainsi se déplacer vite sur le sable mou. Sa robe beige se fond au désert. Il vit dans le Sahara et les contrées arides de l'Ouest asiatique.

Courte queue annelée, à l'extrémité noire

Patte avant très allongée pour la vitesse

Fourrure épaisse et courte pour tenir chaud la nuit et être au frais le jour

La queue égale un tiers de la tête et du corps.

LE CHAT À PATTES NOIRES

Le plus petit des félins sauvages, dont la taille atteint à peine la moitié de celle du chat d'Afrique (pp. 44-45), a la réputation d'être féroce. Son nom lui vient du dessous noir de ses pattes. Il vit dans les plaines sablonneuses d'Afrique australe.

Ocelot

ILS CACHENT PARFOIS LEUR TIMIDITÉ DANS LES BOIS

La plupart des petits félins vivent dans les régions boisées et les forêts sèches sur tous les continents, sauf en Australie. Comme tous les autres Félidés, à l'exception du lion, ce sont des chasseurs solitaires qui tuent des petites proies. Ils se nourrissent quand ils peuvent et mangent à peu près tout ce qu'ils trouvent. Leur apparence varie peu : corps puissant et souple, fourrure tachetée ou rayée et grands yeux adaptés à la vie nocturne (pp. 16-17). Très méfiants, ils sont difficiles à surprendre en raison de leur camouflage. Ils restent en général silencieux, mais qu'un ennemi s'approche et les mâles se mettent à hurler pour le faire fuir. Toutes ces espèces sylvestres sont menacées d'extinction : raréfaction de l'habitat et chasse intensive en sont la cause. Bien qu'elles soient légalement protégées et que l'opinion mondiale se soit mobilisée, on les tue encore pour leur fourrure, surtout en Amérique du Sud où leur commerce est un moyen de sortir de la misère.

LE MARGAY
Il ressemble à un petit ocelot, en plus mince, avec des pattes et une queue plus longues. Il mange des oiseaux et habite dans les arbres des forêts d'Amérique du Sud. Cette espèce reste peu connue.

LE CHAT DU BENGALE
Parfois appelé «chat léopard», c'est le félin le plus courant d'Asie du Sud. Il ressemble au chat domestique, dont il a la taille. Bon grimpeur et excellent nageur, il s'est naturellement implanté dans les petites îles proches du littoral.

L'OCELOT
Surtout forestier, il est aussi adapté aux régions herbeuses et aux bosquets d'épineux, de l'Arizona (Etats-Unis) à l'Argentine. Chasseur diurne et bon nageur, il vit souvent en couple. Son pelage est plus foncé en forêt qu'en savane. Au Mexique, ses rayures autour du cou lui ont valu le surnom de *tigrillo* («petit tigre»). C'est le petit félin le plus chassé d'Amérique du Sud.

LE CHAT À TÊTE PLATE
Rare et insaisissable, ce chat habite dans le Sud-Est asiatique. Sa fourrure marron foncé ourlée de blanc le fait paraître argenté. Il semble vivre au bord des rivières et se nourrir de poissons, de grenouilles, d'oiseaux et de petits mammifères.

Longue queue utile à l'équilibre, avec des taches qui, à l'extrémité, deviennent des anneaux.

Les taches blanches des oreilles sont des signaux pour ses congénères.

LE CHAT DE GEOFFROY

Il doit son nom au naturaliste Geoffroy Saint-Hilaire, qui l'a découvert au XIXᵉ siècle. Les contrées sèches et rocailleuses parsemées d'arbres et de broussailles, ainsi que certaines forêts, constituent son habitat, de la Patagonie à la Bolivie. Il vit en altitude, et les Argentins l'appellent le «chat des montagnes». Il nage, grimpe et, le jour, dort souvent dans les arbres.

Les taches sombres ressemblent à celles du guépard, en plus petit et plus flou.

Cachées dans la peau, les griffes acérées sont utiles à l'escalade.

Chat de Geoffroy

TERRIBLE MENACE

Si le déboisement (destruction des forêts et des jungles) se poursuit au rythme actuel, le délicat équilibre de la nature sera à tout jamais bouleversé et les beaux félins forestiers ne tarderont pas à s'éteindre.

LE GUÉPARD BAT
TOUS LES AUTRES À LA COURSE

C'est l'animal terrestre le plus rapide. Il a la tête courte et un magnifique manteau de fourrure comme tous les Félidés, mais à certains égards il semblerait presque d'une autre famille. Alors que les autres félins sont des « bondisseurs » (p. 11), le guépard est un chat « coureur », car il a évolué de manière à chasser sur des terrains découverts des animaux comme les gazelles. C'est pourquoi il est à part, et son nom latin est significatif : *Acinonyx jubatus* (« [animal] à petites griffes, avec crinière »). Le guépard choisit sa proie, s'en approche doucement, puis s'élance à sa poursuite à une vitesse extraordinaire. Il la tuera, antilope ou gazelle, en l'étranglant. Il dévore également des lièvres, des pintades et, plus rarement, des autruches. Avec d'autres mâles, il forme souvent un petit groupe qui ne tolère pas d'autres individus sur son territoire et peut tuer d'éventuels intrus. L'accouplement est réservé au seul mâle dominant de cette assemblée. La femelle, qui vit en solitaire, ne laisse celui-ci l'approcher que lorsqu'elle est en rut (p. 24).

Tête petite, oreilles rondes et courtes

QUEL FONCEUR !
Grâce à ses longues pattes et à sa colonne vertébrale souple, le guépard est capable de courir à près de 100 km/h, soit plus vite que tout autre quadrupède terrestre. Sans élan particulier, il peut atteindre sa vitesse maximale en trois secondes.

ATTENTION, DANGER !
L'accélération du félin est comparable à celle de cette puissante Ferrari, mais le fauve ne peut maintenir cette allure plus de 100 ou 200 m. Des automobilistes jouent à faire la course avec ce champion et de nombreux guépards sont malheureusement tués lors de ces joutes imbéciles.

Longue patte svelte

TOUTES GRIFFES DEHORS
Comme le chien, le guépard court les griffes sorties, pour une meilleure prise au sol. Non rétractiles, elles n'ont donc pas, comme chez les autres félins, de gaine protectrice. Très légèrement recourbées, elles sont souples et solides.

Patte étroite comme chez le chien

CHATS NOMADES

Le guépard femelle met au monde de un à huit petits qui, au début, se dissimulent dans les hautes herbes. Sans tanière permanente, la mère change très souvent sa progéniture de place.

Dos souple et musclé

Puissant train arrière

PRÊTS À TUER

Jadis, les guépards étaient capturés et dressés pour seconder l'homme dans la chasse à l'antilope et à la gazelle. Ces miniatures indiennes peintes à la gloire de l'empereur moghol Akbar, au XVIᵉ siècle, illustrent cette coutume. Les félins étaient lancés à la poursuite de la proie et, l'ayant jetée à terre, attendaient que leur maître la tue et emporte sa dépouille.

ÉTOLE FOURRÉE

La fourrure, plus épaisse au cou et aux épaules, forme une sorte de crinière, presque indécelable chez les adultes, mais visible chez les petits, comme le montre cette gravure de l'époque victorienne.

LE GUÉPARD

...est devenu un animal très rare. Dans les parcs naturels, il est constamment dérangé par les touristes et, malgré la protection légale, les braconniers le tuent toujours pour sa fourrure. A l'origine, il était répandu de l'Afrique à l'Inde, mais aujourd'hui il ne survit de manière notable qu'en Namibie et au Zimbabwe. Il ne rugit pas, chasse le jour et traîne ses proies dans les buissons pour éviter que d'autres carnivores ou des vautours ne les lui prennent.

@hh
Guépard

La longueur de la queue équivaut à plus de la moitié de celle de la tête et du corps réunis.

VRAIMENT À PART

Le très rare guépard royal du Zimbabwe et d'Afrique australe fut un moment classé à part. Les taches roses se rejoignent sur le haut du dos pour former des rayures.

Tête plus large et
museau plus long que
chez le chat domestique

LE CHAT SAUVAGE EST UNIVERSEL

De l'Europe au Japon, les différentes et
nombreuses races actuelles de chats domestiques
qui ont essaimé à travers le monde descendent
toutes d'une espèce sauvage au nom latin de
Felis silvestris, un petit félin très répandu
qui s'adapte facilement partout. Sous diverses
dénominations, il habite les forêts européennes,
les régions rocheuses de l'Asie occidentale et de
l'Inde et la savane africaine. Il diffère légèrement
d'un habitat à l'autre. En Europe, il s'appelle *Felis
silvestris silvestris*, il est râblé, pourvu d'une fourrure
épaisse pour supporter le climat froid. En Afrique,
où il fait chaud, *Felis silvestris libyca* a le corps plus fin
les pattes plus longues et le poil court. En Inde,
Felis silvestris ornata, le chat orné, hante les
contrées sèches. Son pelage est tacheté.
Le chat sauvage d'Afrique, ou celui d'Asie,
est vraisemblablement l'ancêtre du chat
domestique baptisé *Felis catus* par
Carl von Linné (p. 10).

@ IN
Chat

IL GAGNE DU TERRAIN
Le chat sauvage est assez commun dans l'est
boisé de la France ; il est en progression vers
l'ouest et le sud actuellement ; à la longue,
il risque de s'abâtardir par croisement
avec les chats domestiques redevenus
sauvages, les chats harets (p. 61). Il
ressemble à un gros chat de gouttière
charpenté, en beaucoup plus agressif.

CHATONS SAUVAGE
Ils accompagnent leur mère à la chas·
dès l'âge de 12 semaines, et devienne
indépendants vers 5 moi

Queue courte
et massive

Chat sauvage
d'Europe

L'AFRICAIN
Le chat sauvage d'Afrique vit sur la totalité de ce continent, des déserts aux forêts. Il miaule et pousse de hauts cris en s'accouplant. Moins timide que son «frère» nordique, il rôde près des villages et des fermes, et se reproduit avec les individus domestiques.

PHILANTHROPE
Le chat orné d'Inde se croise avec ses cousins nordiques, africains et domestiques. Il représente donc certainement une souche sauvage du chat domestique. Avec sa longue queue terminée de noir, comme le dessous de ses pattes, il vit dans des endroits chauds et secs, chassant de petits animaux, souris et lézards.

Oreille déchiquetée par les bagarres

C'EST LUI QUI DÉCIDE
Physiquement et dans son comportement, l'Européen tigré, domestique, n'est pas très éloigné de son ancêtre sauvage. Ce serait lui qui aurait apprivoisé l'homme et non le contraire...

DEUX VOISINES
La civette et la genette ne sont pas des félins mais elles leur ressemblent, si bien qu'on les confond parfois. Ce sont des carnivores viverridés, famille dans laquelle on trouve entre autres les rares linsangs d'Afrique et d'Asie, et le suricate d'Afrique du Sud. Leur tête est proche de celle du chat, mais leur crâne est différent.

LA GENETTE
Sa longue queue ne ressemble en rien à celle du chat.

LA CIVETTE
Moins forestière que la genette, elle chasse également la nuit. Son corps est aussi parsemé de taches et de rayures.

Chat orné d'Inde

DES CHATS ET DES HOMMES, UNE LONGUE HISTOIRE

Les chats ont sans doute commencé à vivre auprès des humains parce qu'ils ont été attirés par les rats et les souris qui proliféraient dans les réserves de céréales. Ayant compris combien ils étaient utiles contre les rongeurs, les hommes les ont encouragés à rester. Ils ont apprivoisé les chatons les plus hardis, ou les plus étourdis, et ce petit monde a bientôt fait partie de la maison. On ignore à quand remonte exactement cette bonne entente, mais elle a probablement au moins 5 000 ans. Dès la civilisation de l'Égypte antique, il y a 3 000 ans, le chat était un animal domestique courant, représenté sur de nombreuses peintures tombales, et même déifié. Les anciens Égyptiens ont dû être parmi les premiers à le domestiquer.

Le chat sauvage d'Afrique du Nord est un des ancêtres plausibles de nos chers amis. Il est également possible que plusieurs sous-espèces de *Felis silvestris* vivant dans différents pays d'Afrique et d'Asie aient été domestiquées indépendamment. Aujourd'hui, partout dans le monde, les chats domestiques vivent parmi les hommes.

EX-VOTO ÉTERNEL
Quand un chat sacré de l'ancienne Egypte mourait, il était momifié pour empêcher sa putréfaction, enveloppé de bandelettes et placé dans un sarcophage. Les archéologues qui ont entrepris les fouilles de sépultures, au siècle dernier, ont découvert des millions de momies entassées les unes sur les autres.

CHAT D'IRAN
Les persans à poil long appartiennent à l'une des plus anciennes races domestiques, même si cette poterie peinte au XIIIᵉ siècle, en Perse (aujourd'hui Iran), évoque plutôt un chat tigré.

Mau égyptien silver

ANTIQUE
Le mau égyptien silver est un chat domestique en effet originaire d'Egypte. Le terme *mau* signifie «chat». Bien qu'il s'agisse ici d'une nouvelle race apparue en Europe dans les années 1950, son corps gracieux, ses yeux verts et le fond pâle de sa robe le font ressembler plus que n'importe quel autre, sauf peut-être l'abyssin, au chat d'ancienne Egypte.

FIXÉ À JAMAIS
Les villes de Pompéi et d'Herculanum furent détruites par l'éruption du Vésuve, en 79 apr. J.-C. Sous les cendres, elles restèrent remarquablement conservées, constituant un témoignage exceptionnel sur la vie de l'époque. Sur cette mosaïque retrouvée presque intacte, un chat s'empare d'une volaille.

COMME CHIEN ET CHAT
Sur ce bas-relief, deux Grecs poussent à se battre un chien et un chat tenus en laisse. L'attitude du premier, les pattes avant aplaties et le nez dressé, montre qu'il n'en a pas très envie. Il veut juste taquiner le chat qui, lui, fait le gros dos, prêt à la bagarre.

RAPPORTEUR
Une fresque du tombeau d'un sculpteur égyptien (1400 av. J.-C.) montrait le défunt en train d'attraper des oiseaux sauvages dans le delta du Nil. Sur ce détail, on voit son chat qui l'aide en rapportant le gibier.

SUR UN PIÉDESTAL
Le culte du chat a atteint son apogée, dans l'ancienne Egypte, avec la déesse Bastet, représentée sous la forme d'une femme à tête de chat. Elle tient ici un instrument de musique, un sistre, et une égide (bouclier symbolique) ornée d'une tête de lionne. Elle incarnait entre autres la maternité, la féminité et la joie de vivre.

DOUBLE CHATON...
Le chat sacré figurait souvent sur les bijoux égyptiens. Ainsi sur cet anneau d'or.

À BON CHAT, BON RÂ
Sur cette image du *Livre des Morts* égyptien, Râ, dieu du Soleil, a pris la forme d'un chat pour tuer Apopis, le serpent du chaos et des ténèbres.

QUI A PEUR DU CHAT NOIR ?

Au cours des 3 000 dernières années, le chat, d'abord vénéré par les anciens Égyptiens, a tenu une place importante dans le folklore de nombreux pays. Place inégalée, même par les chiens, dans les histoires et les légendes. Peut-être est-ce à cause de son caractère énigmatique : brave minou affectueux et endormi dans la journée, qui se transforme, la nuit venue, en chasseur redoutable et silencieux. En Europe, il a subi toutes sortes de cruautés à la fin du Moyen Âge, et des milliers de ses semblables ont péri, soupçonnés d'être liés à des rites de sorcellerie ou d'être des incarnations diaboliques. Un sort meilleur lui a été réservé en Orient et en Asie, notamment en Birmanie où on lui prêtait des pouvoirs magiques bénéfiques. Enfin, à bord des navires où on le respectait, non seulement il était considéré comme mascotte utile pour faire la chasse aux rats, mais, en plus, selon une superstition, il était censé prévoir les coups de chien !

MOSCOVITE
Les chats sont très présents dans les contes populaires russes.

CHAT NIPPON
Dans la tradition occidentale, il n'y a pas de chats fantômes. Au Japon, peut-être du fait de la religion bouddhiste, une croyance veut qu'à leur mort ils aient le pouvoir de se transformer en esprits, leur corps devenant le lieu de repos temporaire d'âmes religieuses.

LE CHAT SACRÉ DE BIRMANIE
Il ne faut pas le confondre avec le burmese (p. 53). Selon la légende, il serait le descendant direct des chats blancs des temples birmans. En fait, il résulte probablement d'un croisement entre un siamois et un persan, ressemblant au premier, mais avec des poils longs et toujours le bout des pattes blanc.

CHAT DE CHAR
Pour les Germains païens, la déesse de l'amour, Freyja, allait sur son char tiré par des chats ; peut-être faut-il voir dans cette figure une réminiscence lointaine de la Bastet égyptienne.

CHASSE AUX CHATS
A partir de 1400 et pendant 300 ans, le chat acquit la réputation d'incarner le diable et d'être l'esprit familier des sorcières, celles-ci pouvant prendre l'apparence de l'animal. Il s'ensuivit d'innombrables sacrifices où les chats furent brûlés, notamment à Metz, dans le nord de la France.

L'ANTI-007
Ernest Blofeld, l'ennemi numéro un du héros d'aventures d'espionnage James Bond, apparaît toujours flanqué d'un persan blanc.

MAGIE NOIRE
Selon les époques et les pays, le chat noir passe tantôt pour un porte-bonheur, tantôt pour un porte-malheur. En France, c'est surtout la seconde version qui prédomine, à l'inverse de la Grande-Bretagne.

Européen noir

CHAT BOTTÉ
Dans le sud de la France, on croit au «Matagot», chat source de richesse pour son propriétaire. Ainsi, par ses ruses, le célèbre *Chat botté* du conte de Charles Perrault a-t-il assuré la fortune de son maître et lui a permis d'épouser la fille du roi.

LES ARISTOCHATS SONT TRÈS CULTIVÉS

Au milieu du XIXᵉ siècle est née la vogue des chats exotiques. Des clubs se sont ensuite formés pour déterminer les «standards», c'est-à-dire les caractéristiques des différentes races, et les comparer. Peu à peu, expositions félines aidant, de nouvelles races ont été créées. Certaines ont physiquement si peu à voir avec leur ancêtre sauvage qu'on a peine à croire qu'il s'agit d'animaux ayant gardé l'instinct de chasse. C'est pourtant le cas, et leur comportement n'a pas fondamentalement changé. Une exception : les chatons «produits» en trop grand nombre dans des «chatteries», par seul souci du pedigree et de la vente, et qui n'ont pas reçu de soins individuels affectueux. Séparés de leur mère dès l'âge de 6 semaines, sans chaleur humaine, ils risquent d'avoir un comportement névrotique. Les bizarreries que l'on attribue communément à un tempérament racé sont souvent le fait d'un animal atteint d'une tare.

La devise du National Cat Club britannique (1887) signifie «La beauté vit par la gentillesse».

PIONNIER
Harrison Weir, organisateur de la toute première exposition féline, à Londres, en 1871, est ici représenté avec le lauréat, un chaton persan.

M'AS-TU-VU
Les expositions de chats à pedigree ont permis la création d'une grande variété de races, soutiennent certains. D'autres jugent plus sévèrement l'innovation raciale. Ce champion birman (ci-dessus) ne semble pas trop mécontent des luxueuses marques de son succès.

«BRUSHING»
Le toilettage des chats à poil long est indispensable (p. 62) pour éviter la formation de nœuds et éliminer les poils morts. Avant une exposition, une vraie mise en beauté sert à faire gonfler la fourrure.

Robe orangé profond

Corps trapu et robuste

JOLI À CROQUER
Le persan roux, dénommé à l'origine persan orange, est d'une race assez rare, apparue en Grande-Bretagne en 1895. Sa belle robe ne doit présenter ni ombres, ni rayures ou taches.

Oreille fine,
quasi transparente

Corps musclé,
élégant

Le bleu russe a le profil
« aristocratique », nez
triangulaire et grandes
oreilles légèrement
pointues.

Bleu russe

Yeux écartés,
presque turquoise

BLEU IMPÉRIAL

bleu russe a porté des noms
riés, chat espagnol et chat
Malte, par exemple,
ais on pense que la race s'est
veloppée en Russie. Il a été
porté en Grande-Bretagne
XVIe siècle. L'un des plus
lèbres fut Vachka,
compagnon choyé
tsar Nicolas Ier.

Patte longue,
d'ossature
fine, et petit
pied ovale

Robe soyeuse,
à double épaisseur,
ce qui la rend
un peu drue

Longue queue
effilée

Patte postérieure
puissante

Petite oreille
rrondie

Persan roux

Grand œil
rond couleur
cuivre

TREIZE À TABLE

Un soir de 1898, treize convives dînaient à l'hôtel
Savoy de Londres. Le premier invité à quitter
la table fut tué peu après, renforçant ainsi une
veille superstition. En 1920, on commanda
au sculpteur Basil Ionides un chat en bois
de 1 m de haut. Aujourd'hui encore, au Savoy,
Kaspat le chat est de tous les dîners
à 13 et on lui sert chaque plat.

Le persan roux a
une silhouette très
différente du bleu
russe. Sa face
déformée cause
bien des
problèmes
respiratoires au
pauvre animal.

Patte courte et solide

51

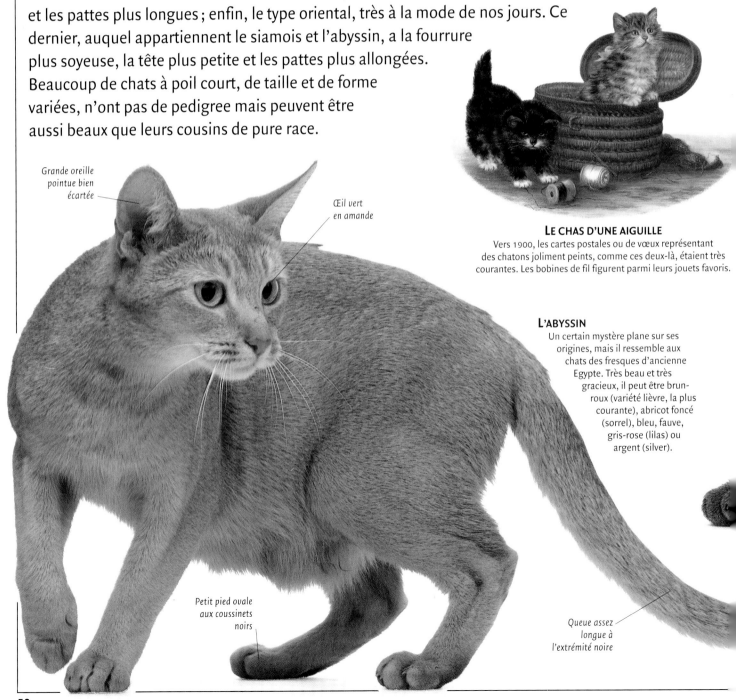

NOS PETITS COMPAGNONS ONT LE POIL COURT...

Jusqu'au début du XXe siècle, la majorité des chats étaient à poil court, ce qui leur facilitait la vie : pas de danger d'être accrochés par des branches à la chasse, ni de donner prise aux ennemis lorsqu'ils se battaient ; pas de risque de fourrure emmêlée, donc moins de maladies de peau. Aujourd'hui encore, les races à poil court sont plus robustes que les autres. Elles se divisent en trois grandes catégories : le type européen, le plus répandu en Europe continentale, et son correspondant d'outre-Manche, le « British Shorthair », trapu, musclé et les pattes plutôt courtes ; le type américain, « American Shorthair », compagnon des pionniers venus s'installer dans le Nouveau Monde et issu des deux précédentes, mais plus grand, plus souple et les pattes plus longues ; enfin, le type oriental, très à la mode de nos jours. Ce dernier, auquel appartiennent le siamois et l'abyssin, a la fourrure plus soyeuse, la tête plus petite et les pattes plus allongées. Beaucoup de chats à poil court, de taille et de forme variées, n'ont pas de pedigree mais peuvent être aussi beaux que leurs cousins de pure race.

Au XIXe siècle, les portraits américains comportaient souvent l'ami de la famille.

Grande oreille pointue bien écartée

Œil vert en amande

LE CHAS D'UNE AIGUILLE
Vers 1900, les cartes postales ou de vœux représentant des chatons joliment peints, comme ces deux-là, étaient très courantes. Les bobines de fil figurent parmi leurs jouets favoris.

L'ABYSSIN
Un certain mystère plane sur ses origines, mais il ressemble aux chats des fresques d'ancienne Egypte. Très beau et très gracieux, il peut être brun-roux (variété lièvre, la plus courante), abricot foncé (sorrel), bleu, fauve, gris-rose (lilas) ou argent (silver).

Petit pied ovale aux coussinets noirs

Queue assez longue à l'extrémité noire

Grande oreille
haut placée sur la tête

Tête en forme de cœur
avec des yeux ronds
d'un vert brillant

Chat à
poil court

Taches noires, crème,
rousses et blanches
sur le corps massif

L'EUROPÉEN ÉCAILLE ET BLANC

Ce joli chat à la robe très particulière nous est familier.
Il est pourtant d'un élevage difficile. On obtient ces résultats
en accouplant les chattes avec des mâles unicolores, noirs,
roux ou crème, mais les portées ne comportent parfois
qu'un seul chaton conforme à la race.

Les poils se
redressent quand
le dos est courbé.

À SA FENÊTRE

Tout comme ses congénères, le chat
de gouttière aime bien savoir ce qui
se passe. Les bâtards, souvent
moins nerveux que les pure race
(pp. 50-51), sont très attachants.

Petit pied ovale avec
des coussinets bleu
foncé ou rose lavande

LE KORAT

C'est l'une des plus anciennes races
naturelles, originaire de Thaïlande
et censée porter bonheur. Introduit
aux Etats-Unis en 1959, il n'est parvenu
en Europe que dans les années 1970.
Gentil et nerveux, avec la tête en forme
de cœur et le poil bleu-gris, il diffère
peu de ses lointains ancêtres.

LE BURMESE

Comme pour l'abyssin, il en existe
plusieurs variétés de couleurs, le brun étant
conforme à l'original et donc, pour certains,
l'idéal. En effet, on trouvait dans les temples
bouddhiques de Birmanie, au XVe siècle, des
chats bruns semblables au burmese actuel.
Intelligent et affectueux, il déteste rester seul
et adore se prélasser sur les lits.

CHAT PEINT
De Léonard de Vinci à nos jours, le chat a toujours inspiré les artistes et figure dans de nombreuses œuvres. Le blanc «Percy» est presque le centre de cette célèbre peinture de l'Anglais David Hockney, représentant *Mr and Mrs Clark*, un couple d'amis.

L'ESPOIR FAIT VIVRE
Ce chat (à gauche) sent qu'il y a eu un oiseau dans la cage.

Chat à poil court roux et blanc

Queue annelée bouffante

«MR MISTOFFELEES»
Old Possum's Book of Practical Cats, de l'Anglais T.S. Eliot, est un ensemble de 14 poèmes sur les chats, dont voici une illustration. D'autres poètes et écrivains, comme Charles Baudelaire, Colette et Paul Léautaud, ont célébré ces compagnons magiques.

JEUNE FILLE RANGÉE
Ce portrait, peint par l'Ecossais George Watson, date du XVIIIᵉ siècle. Le chat était alors considéré comme l'animal de compagnie le plus convenable pour les dames.

MISTIGRI

Le succès du bleu russe a incité les éleveurs à en créer des tout noirs et des tout blancs. Ils sont particulièrement appréciés en Nouvelle-Zélande.

NAÏF AMÉRICAIN

Ce tableau tout à fait inhabituel représente une tête de chat avec un oiseau dans la bouche. Peut-être s'agit-il d'un hommage à un bon chasseur (les chats tenaient une place importante dans les premiers foyers américains) ou d'un emblème familial.

LE SIAMOIS

Le premier, offert par le royaume du Siam (aujourd'hui la Thaïlande) au consul britannique, a été introduit en Europe vers 1880. Une espèce lui ressemblant vivait au Siam, il y a des siècles. Très intelligent et bruyant, avec sa voix rauque, c'est un chat qui supporte mal de partager avec d'autres l'affection de son maître.

Mince queue effilée

Œil bleu vif

Grande oreille pointue

Chat à poil court tigré

Fourrure bien épaisse

Les yeux brillants sont signe de bonne santé.

COPAIN COPAIN

Les rayures sont un des motifs de base de la fourrure des félins ; c'est la robe la plus courante chez les chats tout-venant (de gouttière), qui se montrent plus robustes que les chats de race dégénérés par les croisements consanguins. Ces deux matous font bon ménage, ne se manifestant aucun signe d'agressivité.

Longue patte mince

Elégant petit pied

Dessin de Jean Cocteau
(1889-1963), écrivain et
artiste amoureux des chats

... OU BIEN LONG ET SOYEUX

Tous les félins sauvages ont une fourrure à double épaisseur
(pp. 14-15). Leur pelage, comme celui de tous les mammifères,
a tendance à être plus long et plus fourni sous les climats froids
que dans les pays chauds. Mais aucun chat sauvage, pas même
l'opulent chat de Pallas, ou Manul, n'arbore le somptueux
manteau des espèces domestiques à poil long. Dans le passé,
l'attrait particulier de cette fourrure a incité les éleveurs à procéder à des sélections
artificielles afin d'en faire une caractéristique courante. Le persan est sans doute
la plus ancienne race à poil long et la plus répandue aujourd'hui. Originaire d'Asie
Mineure, il a dû être introduit en Europe à plusieurs reprises depuis quelques
siècles. Également très ancien, l'angora nous est venu de Turquie. Ces compagnons
emmitouflés sont très placides mais nécessitent beaucoup plus
de soins que leurs cousins à poil court.

LE BIRMAN
Moins typique que les autres races
à poil long, le corps plus allongé,
il porte des traces évoquant le
siamois. Malgré la légende
sur son passé sacré de chat
blanc de l'empire birman
(p. 48), il a dû naître du
croisement d'un siamois
et d'un persan. Il a
toujours le bout
des pattes blanc.

L'ANGORA
Cette gravure ancienne montre peut-
être le premier chat à poil long
(originaire de Turquie)
apparu en Europe.

*Gros pied
rond et blanc*

Collerette

*Tête courte
avec un long nez
à truffe rose*

DEUX TURCS DE VAN
On les appelle aussi « chat turcs nageurs » parce qu'ils
aiment jouer dans l'eau. Leur nom leur vient de la région où ils
se sont développés voici plusieurs siècles, près du lac de Van,
au sud-est de la Turquie.

*Longue queue
duveteuse*

Un pli bien marqué
entre les yeux
lui donne l'air
renfrogné.

Queue à extrémité
carrée terminée
par un panache

LE CHAT DE PALLAS

Il doit son nom au naturaliste prussien Peter Simon Pallas (1741-1811) qui le découvrit près de la mer Caspienne, en Russie. Sa fourrure longue et très épaisse le protège du climat rigoureux de son milieu. Pallas le considérait comme l'ancêtre des chats domestiques à poil long ; cette hypothèse est aujourd'hui infirmée.

LE PERSAN ROUX

Apparu en Grande-Bretagne à la fin du siècle dernier (p. 50), il s'est raréfié en Europe, comme tous les chats de race, pendant les deux guerres mondiales. Il a récemment suscité un regain d'intérêt, mais il en existe peu de spécimens irréprochables.

@ ▶▶
Chat à
poil long

LE MAINE COON

Aux Etats-Unis, c'est la race la plus ancienne et la plus répandue. Ensauvagé à l'origine, il errait sans doute dans l'Etat du Maine où on le comparait au raton laveur (en anglais, *raccoon*, d'où son nom) qui lui ressemble par sa fourrure et ses habitudes de chasseur. En réalité, il doit descendre des chats de ferme ainsi que de ceux à poil long importés d'Europe par les marins. Sa particularité : il dort n'importe où, dans les positions les plus bizarres.

Patte robuste avec
un grand pied rond

Gravure américaine sur bois,
d'Elizabeth Norton (1887-1985)

CHAT DU CHESHIRE
Ce vitrail a été décoré en souvenir de l'écrivain anglais Lewis Carroll (1832-1898) qui a immortalisé, dans *Alice au pays des merveilles*, le perpétuel sourire du chat du Cheshire.

QUAND LA GÉNÉTIQUE S'EN MÊLE

Les programmes d'élevage mis au point pour obtenir des caractéristiques particulières – couleurs de robe, très grandes oreilles, queue atrophiée ou fourrure bouffante – ne remontent guère au-delà du début du siècle (pp. 50-51). En ce court laps de temps, on a développé beaucoup de nouvelles variétés. Celles qui apparaissent dans la nature, sous l'effet de mutations génétiques imprévisibles, n'ont aucune chance de se perpétuer. Mais les éleveurs d'espèces domestiques arrivent, par sélection artificielle, à transformer les chats pour ainsi dire «morceau par morceau». Pour assurer la lignée, chaque nouveau spécimen fait l'objet de soins particuliers. Les «phénomènes» sauvages, le tigre blanc, par exemple, sont en excellente santé, tout comme le burmilla, une race domestique issue du burmese et du chinchilla. Mais il n'en va pas toujours ainsi et, à force de repousser les limites de la génétique, on suscite aussi de graves handicaps. Les éleveurs doivent-ils continuer à jouer les apprentis sorciers ?

LE SPHI[...]
Le moins que l'on puisse d[...] est qu'il ne correspond pas [...] canons de beauté féline ! [...] une anomalie génétique, [...] chatons nus naissent de ten[...] à autre. Un de ces mutar[...] né en 1966 au Canada, d'u[...] mère noir et blanc, a se[...] de reproducteur à ce[...] nouvelle ra[...]

LE REX DU DEVON
Produits d'une mutation, puis sélectionnés pour fonder une nouvelle race, les rex du Devon et de Cornouailles sont des chats à poil frisé. Solides, ils font de gentils compagnons.

Fourrure frisée courte, soyeuse, près du corps et sans poils de jarre (p. 14)

Rex du Devon

La tête est triangulaire, avec le nez long. La truffe doit être en harmonie avec la couleur de la robe. Les oreilles sont grandes et légèrement arrondies, les yeux en amande.

Même les moustaches sont frisées.

CHOUETTE ! UN CHAT
Drôle d'amitié ! Pourtant dans un poème de l'Anglais Edouard Lear (1812-1888), une chouette aimait un chat. Ils se marièrent et vécurent très heureux...

LE MANX

Un chaton de n'importe quelle portée peut naître sans queue. Le manx est l'une des races les plus anciennes présentant cette particularité. Elle est originaire de l'île de Man (d'où son nom), entre l'Irlande et l'Angleterre. L'isolement géographique et les croisements en découlant expliquent que cette anomalie génétique ait pu se perpétuer. Les chats de ce type sont courants depuis au moins 200 ans.

Longue queue souple

HYBRIDES

Les descendants d'un lion et d'une tigresse sont des ...grons, ceux d'un tigre et d'une lionne des tigrons. ...s se portent bien mais sont souvent stériles. ...écemment, au parc de Thoiry, une ligronne ...pourtant eu, avec un lion, un petit viable.

Taches orange, crème, noires et blanches nettement définies

Les «vrais» manx (ou rumpies), comme celui-ci, n'ont pas de queue du tout. Certains en possèdent un petit bout. On les appelle risers, stumpies stabbies ou longies, selon la longueur.

Forte patte postérieure

EN NOIR ET BLANC

Autrefois, le tigre blanc à rayures pâles n'était pas rare au nord et à l'est de l'Asie centrale. Il n'en reste presque plus de nos jours. Cette robe inhabituelle est due à un gène albinos dominant, comme chez les chats blancs domestiques.

LE SCOTTISH FOLD

Les oreilles rabattues ou tombantes sont courantes chez les chiens mais rares chez les chats. Toutefois, cela peut arriver, sous l'effet d'un gène mutant, tout comme la queue peut disparaître. Un chaton écossais blanc aux oreilles pliées a été, en 1961, l'ancêtre de cette nouvelle race.

Illustration de l'*Histoire des quadrupèdes* d'Adward Topsell, naturaliste anglais du XVIIe siècle

UNE SOCIÉTÉ QUI A SES MARGINAUX

Tout un monde animal secret, aussi bien chasseurs que chassés, existe en ville. Les chats errants guettent les pigeons, les rats, les souris et les cafards dans les gouttières, les égouts et les poubelles. Avec une souris ou avec une simple arête de poisson, certains sont aussi heureux qu'au coin du feu, entourés de leurs maîtres.

Les chats des rues ont leur territoire : les mâles le délimitent et le défendent comme le font tous les félins ; les femelles mettent bas dans des cachettes abritées. Ils se faufilent dans les caves, les sous-sols des entrepôts et des magasins, rôdent sur les toits. Éboueurs de notre société et prédateurs des rongeurs nuisibles, ces matous en bandes nous rendent de grands services. Autrefois, la plupart des commerçants et des artisans avaient à demeure un « greffier », comme on le surnommait, qu'ils ont aujourd'hui remplacé par des raticides. Et les chats des villes sont devenus trop nombreux ; leur donner à manger, même si cela part d'un bon sentiment, ne fait que prolonger des animaux affamés et malades. C'est pour cela que des associations les capturent et les castrent avant de les relâcher. Ils peuvent alors vivre sans se multiplier.

SUR UN TOIT BRÛLA...
Les chats errants affectionnent les to... qui les mettent hors de portée ... hommes et leur donnent accès à ... endroits privilégiés. Cette grav... de Grandville (1803-1847) illustre... *Peines de cœur d'une chatte angla...* d'Honoré de Balzac (1799-185...

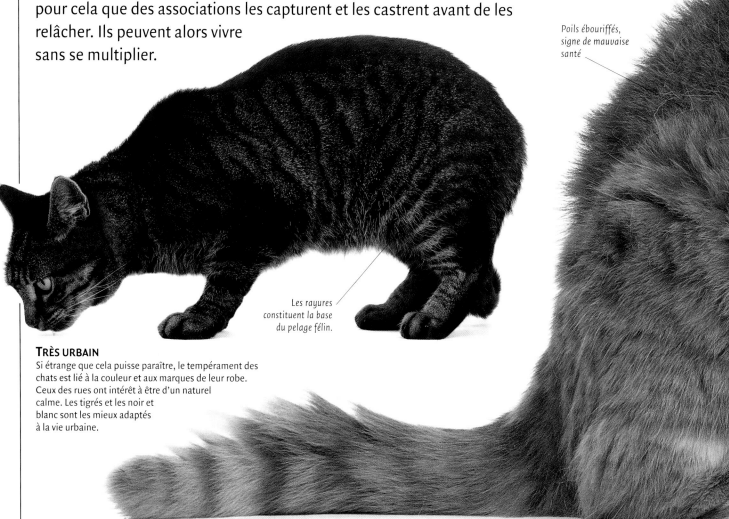

Poils ébouriffés, signe de mauvaise santé

Les rayures constituent la base du pelage félin.

TRÈS URBAIN
Si étrange que cela puisse paraître, le tempérament des chats est lié à la couleur et aux marques de leur robe. Ceux des rues ont intérêt à être d'un naturel calme. Les tigrés et les noir et blanc sont les mieux adaptés à la vie urbaine.

LOCHARDS

a au moins
millions de chats
x Etats-Unis et
illions en
nce. Ces
tistiques ne
stinguent pas ceux
i ont un toit mais
nent dans les rues la
it, de ceux qui mènent
e existence
mplètement sauvage.
s chats errants sont
uvent nerveux et
sseux. Les oreilles
rfois déchirées
e corps couvert
blessures récoltées
cours de fréquentes
garres, ils s'enfuient
s qu'on les approche.

*Oreille
déchiquetée et
balafrée par les
bagarres*

*Œil abîmé lors d'un
combat ou à cause
d'un mauvais
régime alimentaire*

*Allure
digne
malgré
tout*

POLYGAME

Lorsqu'une femelle est en chaleur (p. 24), plusieurs mâles successifs
peuvent s'accoupler à elle. Il en résulte une portée de chatons très
différents, ayant plusieurs pères, comme sur cette peinture. Une chatte
a ainsi donné naissance à une portée qui comportait des petits
sans pedigree et un siamois seal point irréprochable.

LES HARETS

On appelle ainsi les chats retournés à l'état
sauvage et qui vivent de gibier. Certains chats
de gouttière rejoignent des colonies
de chats harets qui vivent dans les rues. On
trouve aussi ces derniers dans les îles où ils
ont été abandonnés par des marins et
où il y a peu d'habitants. Ils font de
gros dégâts dans la nature.

À UN POIL PRÈS

Certains prétendent
que chats de gouttière
et harets ne font
qu'un. Ce n'est pas
tout à fait vrai :
parmi les premiers,
certains sont
complètement
indépendants,
tandis que d'autres
dépendent
indirectement
des humains.

CATASTROPHE

Voici une manifestation, à Paris, protestant
contre un plan d'extermination des chats
errants de la capitale. Ce serait un désastre
et pour l'équilibre écologique parisien, et pour
celui de toute la France, estiment
les manifestants.

POUR QU'ILS SOIENT HEUREUX, IL FAUX LES DORLOTER

Les chats ont des besoins bien spécifiques. Celui qui ronronne au coin du feu se transforme, la nuit tombée, en chasseur solitaire, car il a beau être domestiqué, il conserve intact son instinct d'animal sauvage. Dans l'idéal, il devrait pouvoir sortir, délimiter son territoire et manger des brins d'herbe pour faciliter sa digestion. Les chatières lui donnent cette liberté, même si, en retour, elles ouvrent l'accès aux importuns de passage. La plupart des propriétaires font castrer leur chat, à moins qu'ils ne souhaitent le voir se reproduire. Le vétérinaire décide du meilleur âge pour pratiquer l'opération. Il est également avisé de faire vacciner un chat contre l'entérite infectieuse féline et le coryza, deux maladies mortelles. Les chatons sont absolument irrésistibles, mais avant d'en adopter un, il faut pourtant savoir qu'il peut vivre plus de 20 ans et qu'il réclamera une attention et des soins constants.

Les chatons figurent souvent sur les cartes de Noël, comme celle-ci, du siècle dernier.

BROSSE
Tous les chats, et surtout les espèces à poil long, doiven être brossés régulièrement, sinon quand ils se lèchent, les poils qu'i avalent se mettent en boule dans l'estomac et peuvent les rendre malades.

Bol d'eau

Bol de nourriture

LIME À ONGLES
Le chat a besoin de se faire les griffes pour les nettoyer et s'étirer (p. 27). L'idéal : un vieux bout de bois ou de tapis, ou encore un « griffoir ».

À TABLE !
Carnivores, les chats mangent quotidiennement de la viande ou du poisson. Des croquettes distribuées de temps en temps les aideront à garder les dents et les mâchoires propres et saines. Il faut toujours leur laisser un bol d'eau, surtout si on les nourrit de croquettes. Ils aiment beaucoup le lait, bien qu'ils le digèrent mal.

Spatule

Gravillons ou litière achetée dans le commerce

Bac à litière

BIEN-ÊTRE ET SÉRÉNITÉ
Le chat a besoin d'un endroit à lui pour dormir. Ce qui ne l'empêche pas d'investir le meilleur fauteuil ou le lit, pour leur odeur rassurante plus que pour leur confort véritable.

PROPRETÉ
Il est bon d'habituer les chats au bac à litière, où ils enterreront leurs excréments. Celle-ci sera changée tous les jours et le bac nettoyé.

JEUX ET JOUETS

Les chats aiment jouer et ont besoin d'exercice. Un bout de papier froissé suffit à les distraire. Les ficelles attachées aux jouets sont dangereuses. Elles risquent de s'entortiller autour d'eux et de les étrangler.

Jouets remplis de cataire, ou herbe à chats

COLLIER

Beaucoup de gens pensent que les chats ne doivent pas en porter pour ne pas risquer de s'accrocher aux branches d'arbres. Il existe pourtant des modèles élastiques, amovibles en cas d'urgence. Dans les grandes villes, il faut leur en mettre un, avec une médaille d'identité.

EN VOYAGE

Les chats détestent être emmenés loin de chez eux. Ils savent très bien quand leur maître est sur le point de partir en vacances. Il vaut mieux les laisser à la maison, en chargeant quelqu'un de venir les nourrir. Si l'on préfère les emmener en voyage, il faut se procurer un panier garni d'une couverture. Ce panier sera mis en évidence longtemps à l'avance, afin qu'ils aient le temps de s'y habituer. Cela vaut également pour les visites chez le vétérinaire.

Grille de fermeture

DODO

Les chats dorment rarement dans un panier prévu à cet effet si celui-ci n'a pas la bonne odeur. Ils aiment les endroits qui leur rappellent leur maître. Le panier doit d'abord être garni de journaux, pour empêcher les courants d'air, puis d'un vieux tissu ou d'un vêtement rassurants. Il faut laver régulièrement ce «lit», ou y pulvériser un insecticide non toxique, pour que les puces ne s'y installent pas.

TENDRESSE

Un bon repas et un lit douillet ne suffisent pas. Les chats ont besoin d'affection. Ils sont une bonne compagnie, surtout pour les personnes seules ou âgées. Les caresser et les câliner nous libère de nos frustrations et de nos tensions.

LE SAVIEZ-VOUS ?

DES INFORMATIONS ÉTONNANTES

Aucun chat n'a la même truffe car les stries de la surface de celle-ci sont uniques comme les empreintes digitales chez l'homme.

Truffe de chat

Il existe plus de 500 millions de chats domestiques dans le monde.

Le rythme cardiaque du chat est deux fois supérieur à celui de l'homme avec 110 à 140 battements par minute.

Pour un chat, l'herbe est rouge ! Les chats ne discernent pratiquement pas les couleurs. Ils distinguent mal le rouge et le vert.

En sept ans seulement, un couple de chats et leurs petits pourraient engendrer la bagatelle de 420 000 chatons !

Isaac Newton, le scientifique qui découvrit les lois de la gravitation universelle, inventa également la chatière.

Le chat à tête plate est un excellent pêcheur. Le bout palmé de ses pattes lui permet de nager et ses prémolaires bien développées de saisir les proies glissantes.

Le chat domestique est le seul à maintenir sa queue verticale lorsqu'il marche. Celle des chats sauvages est horizontale ou glissée entre leurs pattes arrière.

Un chat marchant la queue dressée

Les chats ont une vue perçante à l'aube et au crépuscule, moments propices à la chasse. Ils voient bien même lorsque la lumière est faible grâce aux cellules brillantes composant le *tapetum lucidum*, sorte de miroir situé derrière leur rétine et qui réfléchit la lumière. Cependant, dans l'obscurité totale, ils s'orientent grâce à leur ouïe, leur odorat et aux terminaisons nerveuses de leurs moustaches.

Les oreilles du chat peuvent tourner à 180 degrés. Chacune d'elles est dotée de plus de 20 muscles qui contrôlent avec précision leur mouvement.

Presque tous les chats dont la robe est écaille de tortue sont des femelles car cette couleur est liée au sexe féminin.

En moyenne, les chats passent les deux tiers de leurs journées à dormir. Un chat de neuf ans sera donc resté éveillé seulement trois ans.

Les chats miaulent souvent lorsqu'ils sont en contact avec des hommes, mais presque jamais lorsqu'ils sont en présence d'autres chats.

Chat endormi

Les taches du guépard royal du Zimbabwe et d'Afrique australe sont si grandes qu'elles se rejoignent sur le haut de son dos pour former de spectaculaires rayures noires.

Un chat ne voit pas les choses qui se trouvent immédiatement sous son nez car sa truffe les masque.

Dans l'ancienne Egypte, quiconque tuait un chat était passible de la peine de mort.

Par rapport à sa taille, la panthère longibande est le félin qui possède les plus grandes canines. Acérées comme les lames d'un poignard, elles peuvent mesurer jusqu'à 4,5 cm de long.

Le repas moyen d'un chat se compose de cinq souris ou de leur équivalent.

Chat occupé à sa toilette

Les chats sont des animaux extrêmement propres qui, lorsqu'ils sont éveillés, passent près du tiers de leur temps à faire leur toilette.

Selon le folklore hébraïque, Dieu créa le chat sur la prière de Noé. Celui-ci avait peur que les rats ne dévorent toute la nourriture entreposée dans l'arche. Dieu aurait donc fait éternuer le lion et un chat serait sorti de la gueule de ce dernier.

Les robes *colorpoint*, qui comportent des marques sombres appelées points sur la face, les oreilles, les pattes et la queue sont thermosensibles. Un gène inhibe en effet la production de pigments sur presque tout le corps de ces chats sauf aux extrémités où la température corporelle est plus basse. Le contraste entre la couleur générale de la robe et celle des extrémités est donc plus fort dans les pays où le climat est froid.

Panthère longibande

QUESTIONS / RÉPONSES

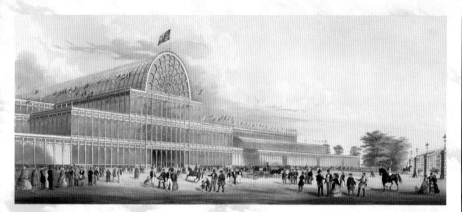

Le Crystal Palace de Londres

Où eut lieu la première exposition féline officielle ?

Elle se tint au Crystal Palace de Londres, le 13 juillet 1871.

Pourquoi un chat remue-t-il la queue ?

La queue du chat bat en signe d'énervement. Elle cinglera l'air beaucoup plus vite si le félin est très nerveux, et sera agitée d'un mouvement convulsif s'il est excité ou curieux.

Le chat a-t-il un bon odorat ?

Le chat a un odorat si fin qu'il peut sentir la présence d'un autre chat se trouvant à 100 m de lui. Il utilise pour cela son nez mais aussi son organe de Jacobson situé à l'avant de son palais.

Combien de griffes ont les chats ?

La plupart des chats ont les pattes avant dotées de cinq doigts, alors que leurs pattes arrière n'en comportent que quatre. Chaque doigt se termine par une griffe acérée.

De quelle couleur sont les yeux des chats ?

Ils ont souvent une couleur très spectaculaire : bleue, lavande, jaune, cuivrée, ou orange vif. Certains chats ont les yeux vairons c'est-à-dire de différentes couleurs. La couleur des yeux de nombreux chats de race est un critère de sélection.

Quelle est la durée de vie moyenne des chats ?

Les chats en bonne santé vivent généralement 12 à 15 ans, mais beaucoup atteignent l'âge de 18 ou 19 ans.

Les chats aiment se frotter aux hommes.

Pourquoi les chats se frottent-ils aux jambes des hommes ?

Lorsque les chats se frottent entre eux ou aux jambes des hommes, ils communiquent leur odeur au moyen de glandes situées entre les yeux et les oreilles ainsi que près de la queue. Les substances ainsi libérées agissent comme marqueurs de reconnaissance.

Combien de dents a un chat adulte ?

Il en a 30. Elles lui permettent de saisir la nourriture, de la trancher et de la déchiqueter. Cependant, aucune ne lui permet de broyer les aliments. Les chatons ont 26 dents de lait qu'ils perdent à environ six mois.

Pourquoi les chats parviennent-ils à se glisser dans des espaces restreints ?

Les chats n'ont pas de véritable clavicule, leur tête constitue donc la partie la plus importante de leur squelette. Du moment qu'ils arrivent à la faire passer à travers un petit interstice, ils sont généralement capables d'y faire ensuite glisser le reste de leur corps.

Les chats peuvent se faufiler à travers des passages très étroits.

QUELQUES RECORDS

LE RECORD DE CHATONS
C'est la chatte «Dusty» qui a donné naissance au plus grand nombre de chatons. Elle en eut plus de 420, et mit au monde sa dernière portée à l'âge de **18** ans.

LE MEILLEUR CHASSEUR DE SOURIS
«Towser», chat tigré écossais faisant office de «greffier», a attrapé plus de souris que tous les autres chats. En 21 ans, il en a tué 28 988, soit en moyenne 4 par jour.

LE CHAT DE RACE LE PLUS GRAND
Le Ragdoll est le chat de race le plus grand. Les mâles pèsent entre 5,4 et 9 kg, les femelles entre 4,5 et 6,8 kg.

LE CHAT DE RACE LE PLUS PETIT
Le plus petit chat de race est le Singapour. Les mâles pèsent près de 2,7 kg, les femelles guère plus de 1,8 kg.

Chaton Singapour

Les Chartreux ont les yeux orange.

65

L'IDENTIFICATION DES RACES

L'élevage des chats à des fins sélectives existe depuis plus d'un siècle. L'aspect des différentes races a depuis considérablement évolué. Les «standards» définissent l'apparence idéale d'une race de chats et donnent des indications quant à la couleur et au dessin de sa robe, ainsi que sur son tempérament. Les nouvelles races sont le résultat de mutations spontanées ou du croisement pratiqué entre deux races établies, ou entre un chat domestique et un chat sauvage.

CHAT À PEDIGREE OU BÂTARD ?
Un chat à pedigree ou de pure race est un chat qui a été engendré par des chats de même race. Un bâtard ou chat «de gouttière» est un chat dont les géniteurs sont de races différentes ou eux-mêmes des bâtards.

Chatte et ses petits

LA LONGUEUR DU POIL

Les chats peuvent être classés en trois groupes en fonction de la longueur de leur poil. Les chats à poil long ont une fourrure épaisse qui peut les faire paraître deux fois plus grands qu'ils ne le sont. Le pelage des chats à poil court peut être fin ou grossier, leur poil raide, frisé, bouclé ou ondulé. Le Sphinx est le seul chat à pedigree sans poil.

Le Main Coon, un chat à poil long

Le British Shorthair bleu à poil court

Le Sphinx sans poil

LES COULEURS ET LES DESSINS DE LA ROBE

Au fil des ans, les éleveurs ont établi des variétés de couleurs et de robes à l'intérieur des races connues.

TABBY
Les pelages tabby se caractérisent par un motif symétrique de rayures et de taches sombres, bleues, brunes, crème, rousses ou argentées sur une base plus claire.

Robe tabby aux taches argentées

Robe noire

UNE ROBE UNIE
Les chats à robe unie ont un pelage qui peut être noir, bleu (gris foncé), brun, crème, lilas (gris clair), roux (orange) ou blanc.

DES ROBES COMPOSÉES
Les robes fumées se composent d'un sous-poil blanc recouvert de poils de garde sombre. Les robes particolores présentent deux couleurs clairement définies comme le noir et le blanc, voire davantage. Le pelage écaille de tortue est en général composé de taches noires, rousses et crème, tandis que le pelage orné d'un motif « calicot » est constitué de noir, de blanc, de roux et de crème.

Robe écaille et blanc

Robe écaille de tortue fumée à poil long

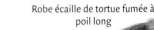

LES ROBES FUMÉES
Les robes fumées se composent d'un sous-poil blanc recouvert de poils de garde de couleur sombre (généralement noire, bleue ou rousse).

LES ROBES OMBRÉES
Les robes ombrées sont similaires à celles qui sont fumées mais seules les extrémités des poils de garde sont sombres.

LES RACES DE CHAT

La Fédération féline internationale (FIFe) reconnaît les groupes de races suivants :

British Shorthair

LES PERSANS À POIL LONG

Chats domestiques possédant la fourrure la plus longue et la plus dense, les persans ont besoin de faire souvent leur toilette. Ils ont une face ronde, aplatie et de petites oreilles.

Turc de Van crème

Persan blanc à poil long et aux yeux orange

LES BRITISH SHORTHAIR

Ils se distinguent par leur corps trapu et leur face ronde. Leur couleur et le dessin de leur robe sont extrêmement variés.

LES CHATS À POIL MI-LONG

Certains chats comme le Turc de Van ont un sous-poil plus fin que les chats à poil long. Leur fourrure est douce et soyeuse. D'autres comme le Maine Coon se signalent par leur sous-poil dense et leur fourrure brillante et imperméable.

LES CHATS ÉTRANGERS

Ce groupe inclut une grande variété de chats différents. Le tiffanie a un poil mi-long fin et soyeux et une queue touffue. Les Asiatiques se distinguent par leur poil court, fin et près du corps. L'ocicat est une race relativement récente issue du croisement entre un siamois et un abyssin. Le Rex de Cornouailles possède un poil court, frisé ainsi qu'un corps et des pattes musclés. Le singapour est un chat de petite taille au pelage tiqueté.

La face est tigrée.

Les poils les plus colorés sont ceux de la queue et de la face.

LES CHATS BURMESE

Les chats burmese se distinguent par leur pelage court et brillant à la texture satinée, leur corps musclé et leurs pattes fines. La couleur de leur robe varie énormément, mais elle est unie ou écaille de tortue.

Tiffanie roux

Burmese crème

Siamois chocolat à points

LES CHATS ORIENTAUX

Les chats orientaux à poil court ont une fourrure fine et brillante, une face triangulaire et de grandes oreilles. Leur corps est svelte, leurs pattes longues, et leur queue effilée. L'Oriental à poil long, plus connu sous le nom d'Angora, a la même silhouette, mais une robe longue et soyeuse sans sous-poil laineux.

Les oreilles sont grandes, le nez long et droit.

LES SIAMOIS

Ils ont, eux aussi, une face triangulaire, un corps allongé, des jambes fines et de grandes oreilles. Tous les siamois sont « à points » : leur corps est en effet de couleur claire, alors que leur tête, leurs oreilles, le bout de leurs pattes et leur queue sont sombres.

LES ROBES À POINT

Les robes à point (*colorpoint*) se caractérisent par une couleur claire et unie sur l'ensemble du corps et des marques (les points) plus foncées aux extrémités, à savoir la face, les oreilles, le bout des pattes et la queue.

Les robes tiquetées présentent une alternance de zones claires et sombres sur la longueur du poil, d'où un effet d'ondulation

Oriental lilas à poil court

Le dos est bleu clair.

Abyssin beige faon

Siamois bleu à points

POUR EN SAVOIR PLUS

Même si vous n'avez pas de chat, différents moyens s'offrent à vous pour mieux connaître ces animaux domestiques si attirants et affectueux. Vous pouvez vous affilier à un club ou vous rendre à des expositions félines. Vous rencontrerez ainsi des personnes très bien informées et découvrirez le métier d'éleveur. Vous pouvez aussi travailler bénévolement pour une association qui recueille les chats errants, maltraités ou abandonnés. Si vous préférez les félins sauvages, visitez un parc animalier pour admirer de près des lions, des léopards ou des tigres.

L'ADOPTION

Si vous avez l'intention d'adopter un chat, renseignez-vous d'abord sur l'espace et les soins dont il a besoin. Des associations protectrices des animaux, comme la Société protectrice des animaux (SPA), vous prodigueront nombre d'informations pratiques qui vous permettront de choisir votre animal de compagnie. Vous pouvez d'ailleurs vous adresser à elle ou à un autre organisme pour acquérir un chaton abandonné.

Vêtus de blanc, les juges examinent les chats exposés.

LES EXPOSITIONS FÉLINES

Vous apprendrez énormément de choses en vous rendant à une exposition féline. Elles ont lieu toute l'année et sont le plus souvent ouvertes au public l'après-midi. Il en existe de petites mettant en compétition 60 chats et des grandes comme l'exposition internationale féline de Brignoles dans le Var qui réunit au moins 1 500 chats. En assistant à une exposition de cette envergure, vous apprendrez beaucoup de choses sur les différentes races de chats.

Les chats d'un club peuvent recevoir plusieurs récompenses.

ADORABLES CHATONS

Elever des chats à pedigree est un travail qui prend beaucoup de temps. Les chatons restent avec leur mère jusqu'à l'âge de 13 semaines. Une fois qu'ils ont été vaccinés, vous devrez encore attendre une semaine avant de les emmener chez vous. Il faut en effet qu'ils soient immunisés. Les chatons et leur mère nécessitent énormément de soins pendant toute cette période. Dans un club, vous rencontrerez peut-être un éleveur qui sera ravi de vous expliquer en détail en quoi consiste son travail.

Le chaton se sent en sécurité près de sa famille.

LES CLUBS

Renseignez-vous sur les clubs qui existent à côté de chez vous même si certains ne s'occupent que d'une race de chats bien déterminée. Ces clubs prennent part à des expositions et en organisent eux-mêmes. Au Royaume-Uni, il en existe plus de 140. En France, adressez-vous à la Fédération féline française. Elle vous indiquera comment contacter ces organismes.

Les chats orientaux à poil court ont de grandes oreilles et une tête triangulaire.

DES LIEUX À VISITER

PARC DES FÉLINS
Le Parc des félins est un centre d'élevage et de recherche zoologique consacré aux félins, des plus petits (chats rubigineux) aux plus gros (tigres, lions).
• 77540 Nesles - Tél. 01 64 51 33 33
Ouvert tous les jours de 10 h à 18 h
Site : www.parc-des-felins.com

MUSÉE DU CHAT
Un musée original pour tout savoir sur le chat.
• 15, Grande-Rue - 37120 Richelieu - Tél. 02 47 58 19 23
Ouvert de la mi-juin à la mi-septembre
de 14 h 30 à 18 h - Fermé le mardi
Site : www.museeduchat.fr

ZOO DE DOUÉ-LA-FONTAINE
Le Zoo de Doué-la-Fontaine accueille un grand nombre d'espèces menacées et participe à leur sauvegarde. Vous pourrez y voir des panthères des neiges, lions, girafes, ibis, loups, dromadaires...
• Ouvert tous les jours du début des vacances de février à la fin des vacances de la Tousaint
Route de Cholet - 49700 Doué-la-Fontaine
Tél. 02 41 59 18 58
Site: http://www.zoodoue.fr

ZOO DU MONT FARON
Ce zoo de petite structure vous permet de rencontrer près de 70 animaux, avec une prédilection pour les félins, tels que pumas, lynx, panthères...
Elevage et dressage de fauves, de singes et d'ours.
• 83200 Toulon - Tél. 04 94 88 07 89

PLANÈTE SAUVAGE
Planète Sauvage propose un safari automobile pour découvrir les nombeux animaux qui évoluent en liberté : lions, tigres, loups, éléphants, rhinocéros.
Il abrite également une cité marine.
• La Chevalerie - 44710 Port-Saint-Père
Tél. 02 40 04 82 82 - Ouvert 7 jours sur 7,
à partir de 10 h, du 1er mars au 1er décembre.
Site : www.planetesauvage.com

LES FÉLINS
Pour mieux connaître les félins, visitez un parc animalier. Vous aurez tout le loisir de les voir évoluer librement. Essayez de recueillir des informations à leur sujet auprès des soigneurs. Pour trouver le parc le plus proche de votre lieu de résidence ou connaître les animaux qu'il abrite, consultez le site www.alphabetes.free.fr

Les animaux sont habitués aux voitures des visiteurs.

S CHATS HARETS
rtaines personnes adoptent des chats sans se demander si
s seront à même de s'occuper d'eux. D'autres font preuve
cruauté envers eux. Les organismes qui recueillent
chats blessés et errants recherchent souvent des
névoles pour les aider à soigner ces animaux.
s associations de défense des
maux (comme
ociété protectrice des
maux) secourent un grand
mbre de chatons et de chats
ndonnés et se chargent
leur trouver des maîtres.

QUELQUES SITES INTERNET

• Ce site sur les chats du monde aborde aussi les questions de l'alimentation des chatons et des chats, donne quelques conseils pour choisir un chat, et indique les clés du comportement des chats. Les différentes races de chats y sont décrites en détail (origines, caractère, descriptif, couleurs et variétés, alimentation, entretien).
www.chatsdumonde.com

• Le site de la Fondation d'assistance aux animaux.
krabott.free.fr/nfaa

• Le site de la Société protectrice des animaux (SPA).
www.spa.asso.fr

• Le site officiel de la Fédération Féline Française, présentation de ses actions et des manifestations félines
www.fffeline.com

• Les Chats de France organisent annuellement une douzaine d'expositions
www.chatsdefrance.asso.fr

• Association Féline des Amis du Siamois.
Un site sur les chats des races orientales : Siamois, Oriental, Balinais, Mandarin, Peterbald
www.afas-siamois.com

GLOSSAIRE

ALLAITER Nourrir ses petits de son lait.

APPEL PLAINTIF (FEULEMENT) Gémissement émis par la femelle lorsqu'elle est en chaleur.

CAMOUFLAGE Moyen permettant à un animal de ne pas se faire repérer par un prédateur, généralement en se confondant avec son environnement. A cet effet, il change de couleur ou se couvre de rayures ou de taches qui le rendent difficile à discerner. Les prédateurs comme leurs proies recourent au camouflage, les uns pour chasser, les autres pour se protéger.

CANINES Quatre dents pointues très développées, dont deux sont situées sur le maxillaire du haut et deux sur celui du bas. Certains chats tuent leurs proies en les transperçant de leurs canines.

CARNIVORE Ordre des mammifères auquel appartiennent les animaux se nourrissant principalement de viande, que leur dentition leur permet de mordre et de trancher.

Quatre canines de grande taille

CHATON Terme employé pour désigner le petit d'une chatte.

CHÂTRER Fait de castrer un chat ou de pratiquer une ovariectomie sur une chatte afin de les rendre impropres à la reproduction. Les chats qui ont été châtrés concourent dans une catégorie à part lors des expositions.

CLASSE Grande division du règne animal se subdivisant en ordres. Les chats font partie de la classe des mammifères.

COLLERETTE Ensemble de poils plus longs qui apparaissent autour du cou et sur la poitrine.

CONSANGUINS Se dit de chats issus de même souche et dont le croisement est souvent la cause de phénomènes de mutation.

COUSSINETS Bourrelets charnus dépourvus de poils situés sous les pattes du chat.

CROISEMENT Fait d'accoupler deux chats de races différentes.

DENTS CARNASSIÈRES Dents situées de chaque côté de la mâchoire permettant au chat de déchiqueter la viande.

DUVET Poil fin et souple constituant le sous-poil et formant une couche isolante.

ÉCAILLE DE TORTUE Chat dont le poil est orné de marques noires, claires et rousses. Les chats écaille de tortue sont généralement des femelles.

EMBRANCHEMENT (OU PHYLUM) Division principale des organismes vivants comportant une ou plusieurs classes. Les chats appartiennent à celui des vertébrés qui inclut tous les animaux qui ont une colonne vertébrale.

ESPÈCE L'une des divisions du genre. Les membres d'une même espèce sont féconds entre eux naturellement.

FAMILLE Unité de classification fondée sur une communauté de caractères morphologiques. Les chats appartiennent à celle des félidés.

FÉLIN Tout animal carnassier appartenant à la famille des félidés.

FOLD Chat dont les oreilles sont rabattues ou tombantes.

FOURRURE Couche extérieure de la robe du chat constituée des poils de garde et de jarre.

FOURRURE DOUBLE ÉPAISSEUR Fourrure constituée de longs poils recouvrant un sous-poil court.

FUMÉE Fourrure colorée avec un sous-poil blanc.

GAINE Etui corné dans lequel les griffes du chat se rétractent lorsqu'il se déplace.

Chat sauvage européen

Toilette d'un chat en vue d'une exposition

GENRE Dans une famille, groupe d'espèces partageant les mêmes caractéristiques.

GRIFFE Formation cornée et pointue se trouvant à l'extrémité des phalanges des félins. Ces derniers rentrent leurs griffes lorsqu'ils sont détendus, mais peuvent les sortir très vite si nécessaire. Le guépard est le seul félin à ne pas avoir de griffes rétractiles.

HABITAT Milieu naturel d'un animal ou d'une plante.

HARET Chat domestique retourné à l'état sauvage et complètement indépendant.

LIGAMENT Tissu qui unit les os et le cartilage, et soutient le muscle.

MARQUAGE Un chat marque son territoire avec son urine, en particulier lorsqu'il n'a pas été castré.

MATOU Chat domestique mâle et entier.

MOUSTACHES Longs poils raides qui poussent sur le nez du chat et qui sont aussi appelés vibrisses. Lorsqu'elles effleurent un objet, les terminaisons nerveuses des moustaches du chat transmettent des messages à son cerveau.

MUE Phénomène qui se caractérise par la perte de poils. Les chats muent surtout au printemps. Leur fourrure épaisse est alors remplacée par un nouveau poil.

MUTATION Changement dans le caractère génétique d'un animal qui entraîne souvent une modification de son apparence.

ORDRE Division d'une classe d'animaux regroupant une ou plusieurs familles. Les chats appartiennent à l'ordre des carnivores.

ORGANE DE JACOBSON Organe de l'odorat et du goût situé à l'avant du palais du chat.

PAPILLES La langue du chat est hérissée de petites éminences dures qui lui permettent de laper l'eau ou de lisser sa fourrure.

PARTICOLORE Chat dont la robe comporte deux couleurs clairement définies, voire plus.

PATTES ANTÉRIEURES Pattes de devant d'un quadrupède.

PATTES POSTÉRIEURES Pattes de derrière d'un quadrupède.

PEDIGREE Document attestant la généalogie d'un chat de race.

PIEDS Extrémités des pattes du chat dotées de coussinets sans poils et de griffes.

POIL DE GARDE Poil long et rêche qui fait partie de la fourrure extérieure.

POIL DE JARRE Raides et épais à leur extrémité, les poils de jarre sont plus longs que le duvet mais plus courts que les poils de garde.

POIL LONG Il caractérise un chat possédant une fourrure épaisse et longue.

POIL MI-LONG Il caractérise un chat dont la fourrure est assez longue mais le sous-poil assez fin.

POINTS Parties plus sombres de la robe du chat situées aux extrémités du corps de ce dernier comme les pattes, la queue, la face et les oreilles.

PORTÉE Ensemble des chatons d'une femelle mis bas en une fois.

PURE RACE Les chats issus d'individus qui sont de même race. Un chat pure race est aussi qualifié de chat à pedigree.

RACE Groupe de chats ayant des caractéristiques particulières. Les éleveurs veillent à ce que leurs animaux soient conformes à certains standards

La langue du chat est couverte de papilles.

RONRONNER Emettre un son bas et vibrant exprimant la plupart du temps une sensation de plaisir. Ce son est produit au niveau du larynx. On le retrouve chez de nombreuses espèces de félidés alors que seuls les plus grands rugissent.

SELF-COLORED Se dit de la couleur unie de la robe d'un chat.

SEVRAGE Moment où les chatons cessent de téter le lait de leur mère.

SHORTHAIR Chat à poil court.

SOUS-POIL Couche de poils douce et dense située sous la fourrure de certains mammifères.

SPHINX Race de chat sans poil ne comportant qu'un duvet léger et court à ses extrémités.

SQUELETTE Charpente qui donne sa forme à l'animal, protège ses organes vitaux et à laquelle les muscles sont reliés. Le squelette est également la source des cellules sanguines et une réserve de minéraux.

TACHETÉ Chargé de marques de couleur différentes du fond de la robe.

TAPETUM LUCIDUM Couche de cellules situées à l'arrière de la rétine et réfléchissant la lumière. C'est le *tapetum lucidum* qui permet au chat d'avoir une bonne vue dans la pénombre.

TAXINOMIE Classification des organismes en groupes, fondée sur leurs similarités ou leur origine.

TENDON Faisceau fibreux qui sert à relier les muscles aux os.

Turc de Van à pedigree

TIQUETAGE Bandes de couleurs claires et foncées le long du poil.

TOILETTE Les chats passent énormément de temps à faire leur toilette à l'aide de leur langue et de leurs pattes.

TRAPU Se dit d'un corps de félin ramassé et compact.

TRAQUER Le fait de s'approcher furtivement d'une proie.

TRUFFE Partie colorée et glabre du nez d'un chat, c'est-à-dire dépourvue de tout poil.

VAN Motif de la fourrure du chat turc de Van. Celle-ci est blanche sur le corps de l'animal mais ornée de marques roses sur le sommet de sa tête et sur sa queue.

Cette chatte allaite ses petits.

STANDARD Critères officiels permettant d'identifier une race, comme la taille, le poids, la couleur, etc.

TABBY Caractère marbré, tacheté, moucheté ou tigré de la robe d'un chat.

comme un type de robe ou une forme de tête. Si l'élevage n'est pas contrôlé de façon stricte, les traits propres à certaines races disparaissent facilement.

INDEX

NOTES

Dorling Kindersley tient à remercier :
Trevor Smith et l'équipe de Trevor Smith's
Animal World ; Jim Clubb du Clubb-
Chipperfield ; Nicki Barrass de A1 Animals
; Terry Moore du Cat Survival Trust ; le
British Museum et le Natural History

Museum pour leur assistance scientifique
; Jacquie Gulliver et Lynne Williams pour
leur recherche éditoriale ; Christian
Sévigny et Liz Septhon pour leur
collaboration graphique ; Claire Gillard
et Céline Carez pour leur participation.

ICONOGRAPHIE

h = haut, b = bas, g = gauche,
m = milieu, d = droite

Animals Unlimited : 53b ; Ardea : R.
Beames 40m ; K. Fink 40hd ; Bridgeman
Art Library : 28hm, 62hg ; Bibliothèque
nationale, Paris 28h et b ; Chadwick
Gallery, Warwicks 52m ; National Gallery,
Londres 30hg détail ; National Gallery,
Écosse 54bg ; Victoria & Albert Museum,
Londres 20hg ; avec l'aimable autorisation
des « Trustees » du British Museum : 6hd,
22bg, 31hd ; Collection du duc de
Buccleuch & Queensberry KT : 16md
détail ; Jean-Loup Charmet : 7hd ; Bruce
Coleman Ltd : 57hd ; Jen & Des Barlett
13m, 23bg, 28m ; Jane Burton 16mb ; Eric
Creighton 26mg ; Gerald Cubitt 39bd,
43b ; G. D. Plage 24mg ; Hans Reinhard
12m, 16hg, 24bg, 37hm, 42-43 ; Norman
Tomalin 45bg ; Konrad Wothe 22bd, ©
Rod Williams 11m, 33mb ; Gunter Ziesler 42m,
43hg ; E.T. Archive : 24hd, 62bd, © Sheila
Roberts 1971, 63hm ; Mary Evans Picture
Library : 10mg, 19h, 27md, 49hg, hd,
58bd ; Werner Forman Archive : 33b, 35hd ;
Freer Gallery of Art, Washington : 21hg
détail, Acc. N° 04.357 ; Robert Harding
Picture Library : 49bg ; Marc Henrie :
50mg ; « Mr & Mrs Clark & Percy » 1970-1,
© David Hockney/photo Tate Gallery :
54hg ; Michael Holford : 31hg, m, 35b,
37m, 47hd, 47bd, 48mg ; Hulton-Deutsch
Collection : 30b ; Hutchinson Library :
34m ; Image Bank : 54mg ; Images Colour
Library : 47bg, 48hg, 58hg ; Kobal
Collection : 11mg, 22h, 49md ; M.R. Long :
9m ; LYNX : 36hd ; Mansell Collection :
13bg ; Metropolitan Museum of Art : 57b ;
Museum of American Folk Art : 52h ;
National Gallery of Art, Washington : 55hd
(don d'Edgar William & Bernice Chrysler
Garbisch) ; Natural History Museum : 8hg,
bg, 12bg, 13hg, bd, 33m, 36md, 37h,
38m ; Natural History Photographic
Agency : Agence Nature 18bg ; Anthony
Bannister 42b ; Nigel Dennis 45hg ; Patrick
Fagot 19m ; Peter Johnson 14mg, 45mg ;
Stephen Krasman 16hd ; Gérard Lacz
12hg, 58hd, 59bg ; Northampton
Historical Society, Mass. : 15hm ; Oxford
Scientific Films : 37hg, 39hg ; Roy
Coombes 27m ; Sean Morris 41b ; Richard
Packwood 12mb ; Kjell Sandved 59bd ;
Bernard Schellhammer : 53md ; Quadrant
Picture Library : 42mb ; avec l'aimable
autorisation du restaurant « The Savoy »
51md ; Scala : Palais des Médicis, Florence
32bg détail ; Museo Nationale, Naples
46hg ; Musée national d'archéologie,
Athènes 47hg, Spectrum Colour Library :
8bd ; Frank Spooner Pictures : 61bd ;
Survival Anglia ; Dieter & Mary Plage
32hg ; Alan Root 27hd ; Maurice Tibbles
14hd ; Amoret Tanner : 28hg ; Victoria &
Albert Museum Picture Library : 43hd
détail ; Zefa : 16mh ; E. & P. Bauer 23bg,
38bg ; M.N. Boulton 11bg ; Bramaz 63bd ;
G. Dimijian 21md ; D. Kessel 35hg ;
Mummerc 20bd ; Orion 19mb.
Illustrations de Dan Wright
Couverture : 1er plat : © Sunset/Juniors
Bildarchiv. Dos : Jerry Young, Peter
Anderson et Dave King © Dorling
Kindersley. 4e plat : Stephen Whitehorn
© Dorling Kindersley, hd ; Dave King
© Dorling Kindersley, c, bg ; Peter
Anderson © Dorling Kindersley, bc ;
Jerry Young © Dorling Kindersley bd.

Nous nous sommes efforcés de retrouver
les propriétaires des copyrights. Nous
nous excusons par avance des oublis
involontaires. Nous serons heureux
à l'avenir de pouvoir les réparer.

Edition originale : Louise Barratt, Gillian
Denton, Julia Harris, Thomas Keenes, Diana
Morris et Helen Parker
Photographies originales de Philip Dowel,
Colin Keates ABIPP et Dave King
Edition française traduite et adaptée
par Pascale Froment
Edition : Christine Baker, Manne Héron
et Jacques Marziou
Relecture-spécialiste : Michel Tranier,
Muséum national d'histoire naturelle
Photogravure de couverture : Scan+
Maquette de couverture :
Marguerite Courtieu
Supplément p. 65 à 71 :
Traduction : Cécile Giroldi
Correction : Isabelle Haffen et Sylvette Tollard
Suivi éditorial : Emilie Paget et Eric Pierrat
Relecture-spécialiste : François Moutou
Site Internet associé : Bénédicte Nambotin,
Françoise Favez, Eric Duport et Victor Dillinger.